50

supermodelos de
papiroflexia

Emanuele Azzità - Walter-Alexandre Schultz

50
supermodelos de
papiroflexia

De Vecchi

Traducción de Montse Florenciano.

Diseño gráfico de la cubierta: © *YES.*

Fotografía de cubierta y contracubierta de © *Bepi Ghiotti/Getty Images;* © *Ryan McVay/Getty Images.*

Fotografía de Philippe Rocher, edición de Emanuele Azzità.

Ilustraciones del interior de Benedetta Bini, Emanuele Azzità, Ongaku Mizutama, Pietro Macchi, Paola Scaburri, Alexandra Bona, Walter-Alexandre Schultz y Michela Ameli.

© Editorial De Vecchi, S. A. U. 2006
Balmes, 114 - 08008 Barcelona
Depósito Legal: B. 38.146-2006
ISBN: 84-315-3469-9

Editorial De Vecchi, S. A. de C. V.
Nogal, 16 Col. Sta. María Ribera
06400 Delegación Cuautemoc
México

INTRODUCCIÓN

La papiroflexia es el arte de crear figuras (personas, animales, flores, objetos, etc.) a partir de un trozo de papel. La fantasía y la creatividad son fundamentales en la papiroflexia: pon a prueba tu talento artístico, diviértete recreando tus objetos preferidos en papel o inventándote otros. Será una experiencia única, un pasatiempo fácil que requerirá imaginación, aunque también paciencia. La papiroflexia es una actividad manual y precisamente por ello necesita práctica. Así pues, no te rindas si al principio no logras los resultados deseados. Intenta practicar por tu cuenta, aunque, si lo prefieres, también podrás compartir esta aventura con los amigos: verás cómo vas a pasar horas libres muy amenas y tardes enteras inolvidables y, sobre todo, vencerás el aburrimiento. Al cabo de un tiempo, cuando ya cuentes con experiencia, déjate guiar por el placer de «dominar» el papel, doblarlo, arrugarlo con el fin de crear. Cuando seas un experimentado artista, lograrás crear figuras ligeras y sugerentes. Así pues, ¿a qué esperas? Sigue atentamente las indicaciones de este libro y déjate sorprender por los resultados: practicarás con miles de figuras, con la satisfacción de haber creado algo único y original.

MATERIAL

LA PAPIROFLEXIA ES UN BUEN PASATIEMPO PARA CUALQUIER MOMENTO Y REQUIERE POCO MATERIAL: UNA HOJA DE PAPEL, UN LIBRO, UNA MESA... ES DECIR, UN SOPORTE DONDE APOYARTE. POR LO QUE SE REFIERE AL PAPEL, A FIN DE OBTENER BUENOS RESULTADOS, UTILÍZALO DEL TIPO ADECUADO PARA LA FIGURA QUE QUIERAS HACER. ES ACONSEJABLE:
· PAPEL QUE NO SEA DEMASIADO RÍGIDO, YA QUE COSTARÍA DOBLARLO.
· PAPEL QUE NO SEA DELICADO NI DELGADO, YA QUE SE ROMPERÍA CON FACILIDAD.
· PAPEL RESISTENTE, CUYA CONSISTENCIA PERMITA UNA CIERTA RIGIDEZ Y QUE LOS PLIEGUES SE NOTEN.

AUNQUE EL MERCADO OFRECE PAPELES DE ALTA CALIDAD FABRICADOS EXPRESAMENTE PARA LA PAPIROFLEXIA, PARA EMPEZAR BASTA QUE UTILICES:
· PAPEL BRILLANTE DE REVISTA. ADEMÁS, LAS FOTOS MULTICOLOR APORTARÁN A TUS CREACIONES UN TOQUE DE ELEGANCIA Y ORIGINALIDAD.
· PAPEL DE COLLAGE.
· PAPEL METALIZADO, ÚTIL PARA DESTACAR LOS CONTORNOS DE LAS FIGURAS GEOMÉTRICAS.
· PAPEL DE REGALO.

PARA LA CONFECCIÓN DE FIGURAS, TRAZA LOS PLIEGUES CON PRECISIÓN EN EL PAPEL. SI CONVIENE, MARCA LÍNEAS BIEN DEFINIDAS CON UNA UÑA.
SI BIEN EL USO DE LAS TIJERAS NO SE CONSIDERA UNA PRÁCTICA ORTODOXA, PARA ALGUNAS FIGURAS SÍ TE FACILITARÁN LA TAREA, POR LO QUE QUEDARÁS PERDONADO.

SÍMBOLOS UTILIZADOS

En el último apartado encontrarás toda una serie de propuestas para crear figuras poco habituales en papiroflexia: los dinosaurios.

Esas figuras presentan una mayor dificultad en comparación con las anteriores. Así pues, podrás lanzarte a tan complicada tarea después de haber adquirido una cierta práctica y habilidad doblando el papel.

A continuación te mostramos algunos de los símbolos que acompañan a las figuras de esta sección y que te ayudarán enormemente cuando vayas a crear esos misteriosos animales prehistóricos.

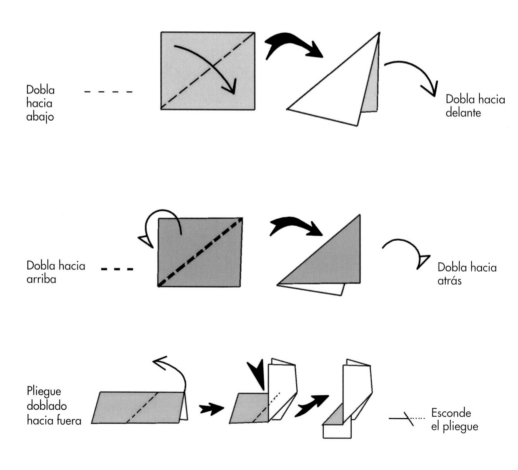

Dobla hacia abajo

Dobla hacia delante

Dobla hacia arriba

Dobla hacia atrás

Pliegue doblado hacia fuera

Esconde el pliegue

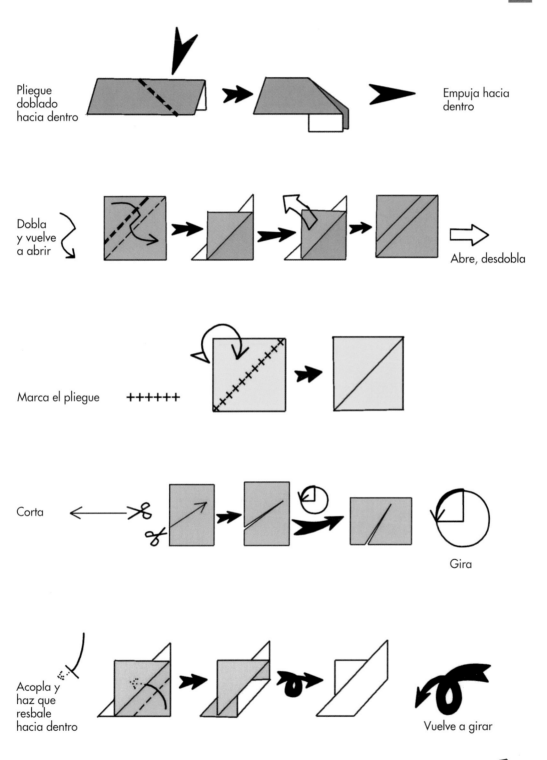

Pliegue doblado hacia dentro

Empuja hacia dentro

Dobla y vuelve a abrir

Abre, desdobla

Marca el pliegue   ++++++

Corta

Gira

Acopla y haz que resbale hacia dentro

Vuelve a girar

OBJETOS Y DECORACIONES

POR E. AZZITÀ

Da rienda suelta a tu fantasía y descubre la emoción de «hacer» y «crear» de un modo divertido. Puedes aventurarte en esta experiencia solo o con los amigos: los ingredientes principales son mucha alegría y mucha creatividad. En las páginas siguientes vas a encontrar un sinfín de ideas para crear objetos y decoraciones (marcos, pulseras, tulipanes, etc.) para ponerlos en tu habitación, en la clase o incluso para regalarlos a alguien especial. Comenzar no es fácil, por eso te aconsejamos que empieces por los objetos más sencillos: verás que con un poco de práctica ya podrás idear nuevas decoraciones y personalizarte los objetos, convirtiéndolos en únicos y originales. Un reto contigo mismo y también con tus amiguitos: ¡que gane el mejor!

MARCO

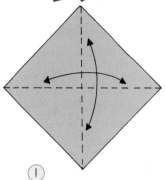

1 2 Dobla por las líneas y vuelve a abrir.

3 Dobla por las puntas.

4 5 Dobla por las líneas.

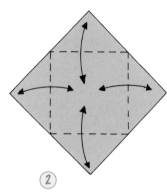

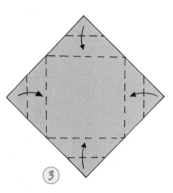

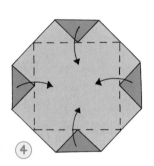

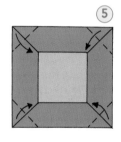

PULSERA

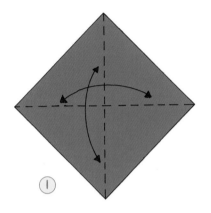

❶ Dobla por las líneas y vuelve a abrir.

❷❸❹ Dobla por las líneas.

❺ Desdobla completamente por toda la superficie cuadrada.

❻ Dobla en fuelle simétricamente respecto a la línea diagonal vertical.

❼ Acopla uno de los extremos en el otro.

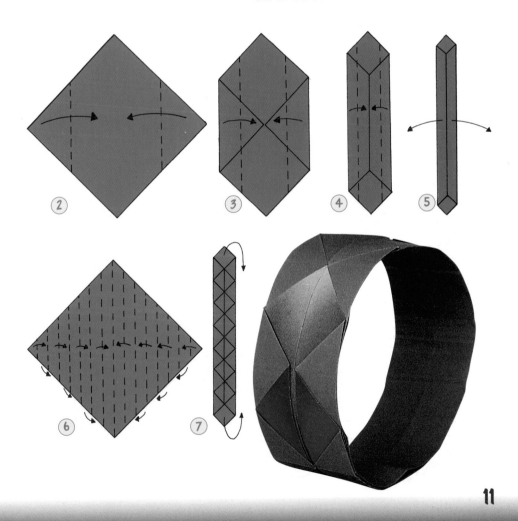

11

VELERO

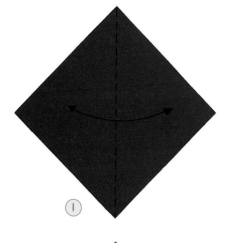

① Dobla por la línea
y vuelve a abrir.

②③ Dobla por la línea.

④⑤⑥ Dobla por las líneas.

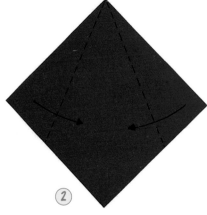

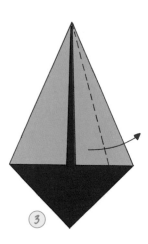

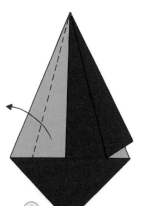

7 Gira
completamente
a lo largo
de la línea.

8 Baja.

9 Empuja
hacia fuera.

10 11 12 Dobla por
la línea en ambos
sentidos.

13 Baja el borde
del barco
invirtiéndolo
hacia fuera.

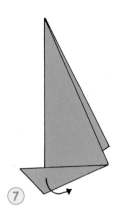

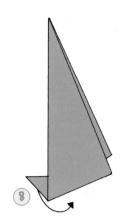

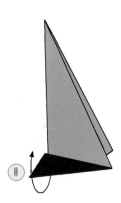

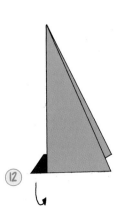

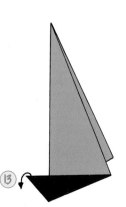

13

14 15 Dobla por los dos ángulos de la parte interior siguiendo las líneas.

16 Gira.

17 Abre la vela.

18 Desdobla bien. Dobla por el borde hacia dentro según indica la flecha.

19 Trae la vela hacia delante doblando por la línea.

20 21 Gira y dobla el barco por la línea en ambos sentidos. Acopla la punta. Este último paso puede resultar complicado. Presta atención: no aprietes demasiado y ayúdate abriendo un poco la barca.

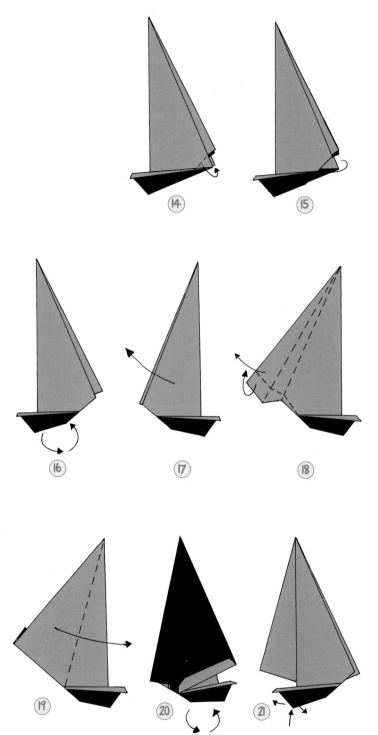

TIENDA DE CAMPAÑA

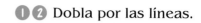

1 2 Dobla por las líneas.

3 4 Levanta y extiende.

5 Gira y repite el paso en el otro lado.

6 Dobla por las líneas.

7 Dobla por las líneas y vuelve a abrir.

8 Levanta la parte central y haz que coincida con el vértice superior acercando los laterales.

9 Vuelve a girar hacia atrás doblando por las líneas.

10 Levanta doblando parcialmente por las líneas.

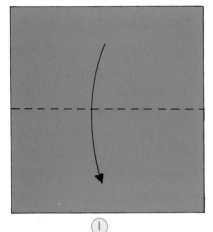

①

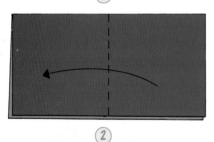

②

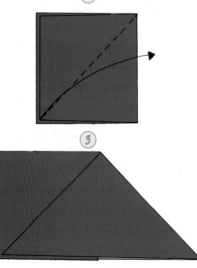

③

⑤

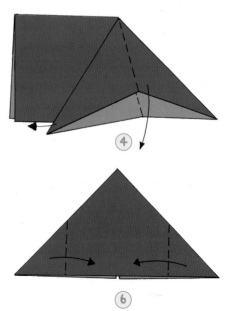

④

⑥

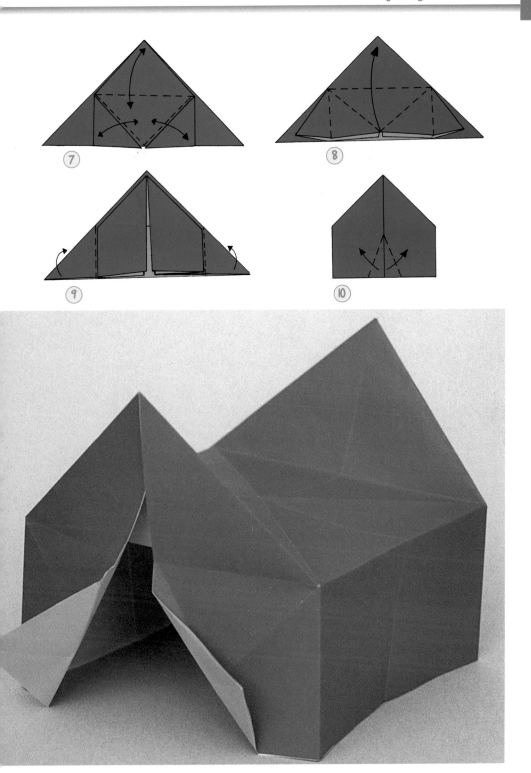

SETA

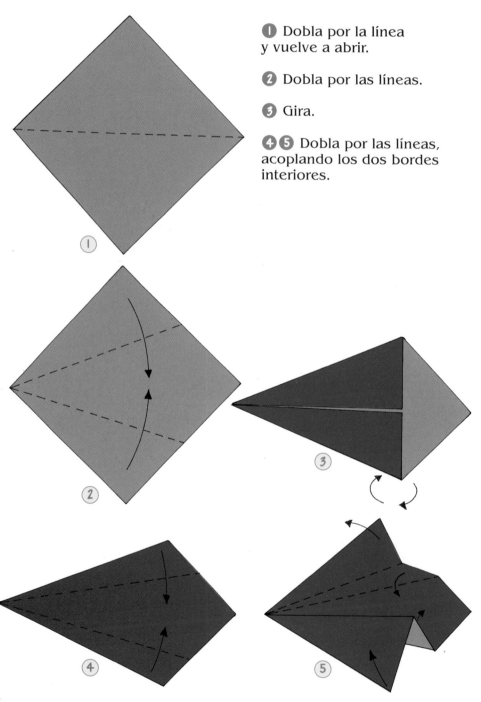

① Dobla por la línea
y vuelve a abrir.

② Dobla por las líneas.

③ Gira.

④⑤ Dobla por las líneas,
acoplando los dos bordes
interiores.

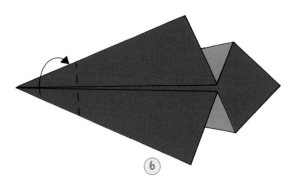

6 Tras el paso anterior, dobla oblicuamente la punta hacia atrás, siguiendo la dirección que indica la flecha.

7 Dobla hacia atrás siguiendo la línea.

8 Dobla siguiendo ambos sentidos.

9 Baja la punta.

10 11 En el interior, dobla por los dos ángulos según la ilustración.

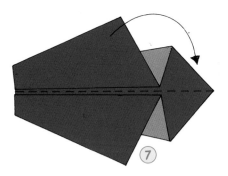

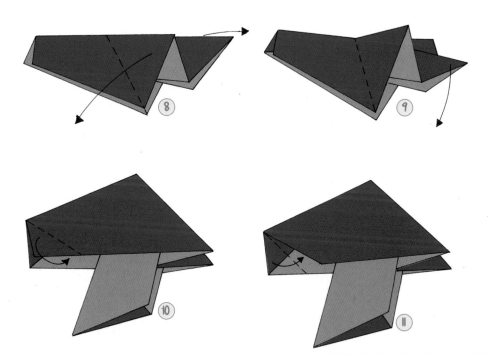

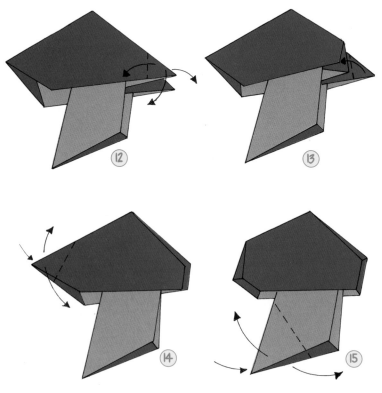

12 13 Dobla ambas puntas haciéndolas entrar de nuevo.

14 Haz que entre de nuevo la parte izquierda doblando por la línea.

15 Dobla la base en el interior.

CAÑA DE BAMBÚ

1 Dobla una hoja rectangular de dimensiones 1 × 2 siguiendo las líneas y vuélvela a abrir.

2 Dobla por las líneas según las flechas.

3 Dobla por las líneas.

4 Dobla por las líneas.

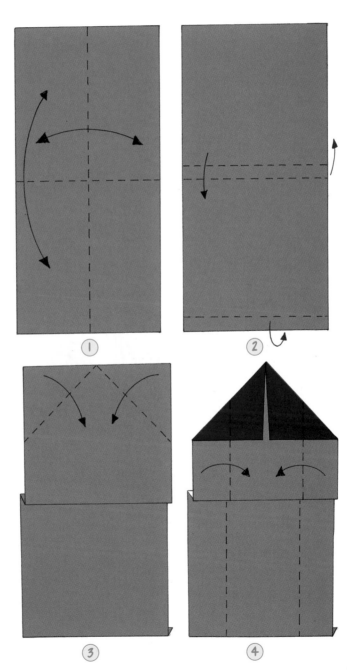

21

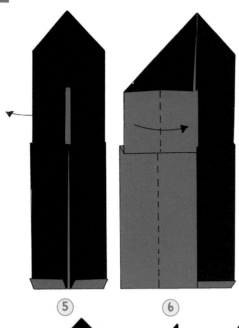

5 Vuelve a abrir.

6 Dobla y levanta la parte superior según la flecha.

7 Dobla por la línea acoplando la parte derecha en el bolsillo izquierdo.

8 Redondea.

9 Ya tienes la caña.

10 11 12 Para hacer la hoja, dobla una hoja cuadrada por las líneas.

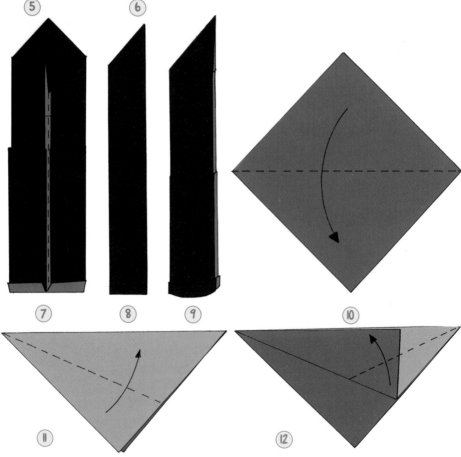

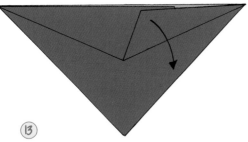

13 Abre la solapa.

14 Dobla según las flechas.

15 Dobla por las líneas hasta obtener la siguiente configuración.

16 Dobla por las líneas y baja la punta.

17 Dobla por las dos solapas hacia atrás.

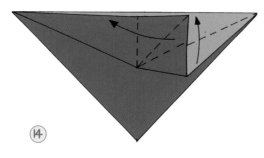

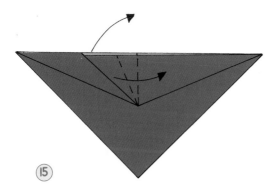

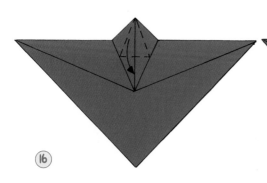

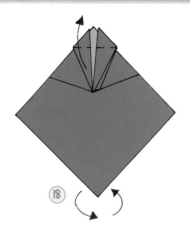

18 Levanta la punta doblando por la línea y gira.

19 Dobla en ambos sentidos.

20 Levanta las dos solapas doblando por la línea y apretando las dos partes laterales.

21 Vuelve a bajar.

22 Dobla por la línea.

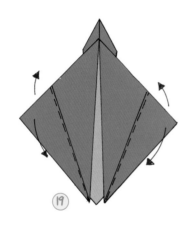

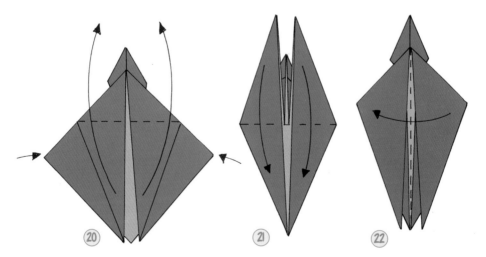

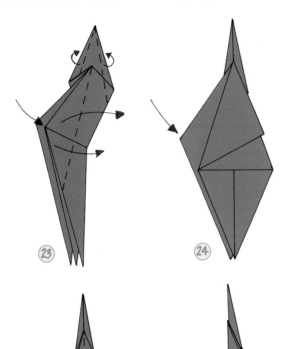

23 Dobla por la línea según las flechas. Aprieta la punta central para aplanar la arista.

24 Realizado el paso anterior, repite la operación en el lado opuesto.

25 Dobla las tres solapas por la línea, como indican las flechas.

26 Separa poco a poco las puntas.

27 Modela.

28 Ya tienes la hoja.

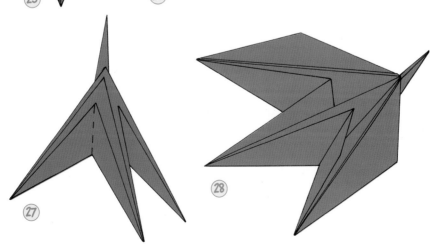

29 Introduce la lengüeta superior en los bolsillos de la caña, que ya habrás hecho anteriormente.

Si lo deseas, siempre puedes hacer más cañas, con sus correspondientes hojas, y las vas sobreponiendo: producirá un gran efecto decorativo.

TULIPÁN CON TALLO

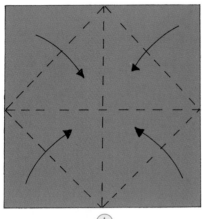

①②③ Dobla por las líneas.

④ Levanta...

⑤ ... hasta conseguir un cuadrado. Gira.

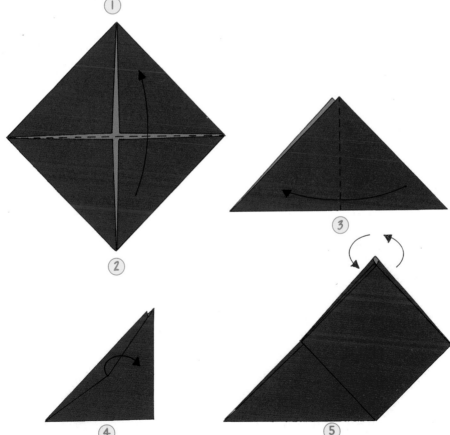

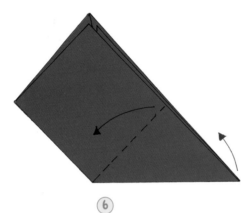

6 Repite la operación.

7 Dobla las dos solapas.

8 Dobla hacia atrás las dos solapas posteriores.

9 10 Dobla por las líneas y repite la operación en la parte posterior. Extiende la figura.

11 Ya tienes la flor del tulipán.

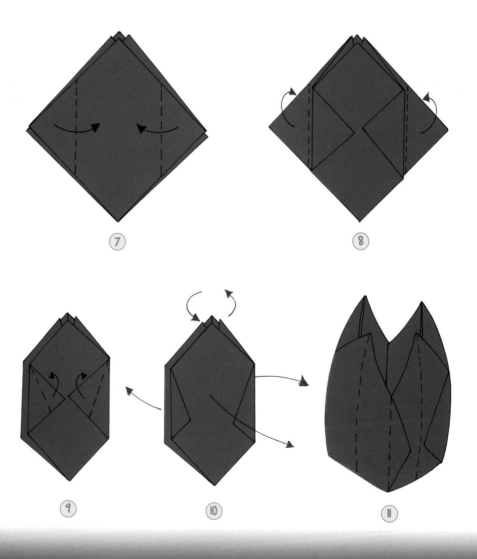

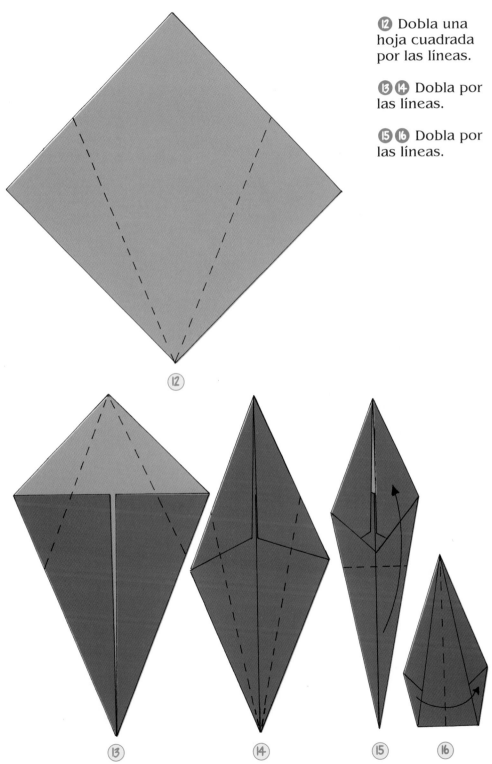

12 Dobla una hoja cuadrada por las líneas.

13 14 Dobla por las líneas.

15 16 Dobla por las líneas.

12

13

14

15

16

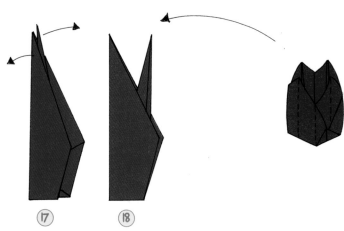

17 Separa las dos puntas.

18 Perforando el punto indicado en la ilustración 10, coloca la flor en el tallo.

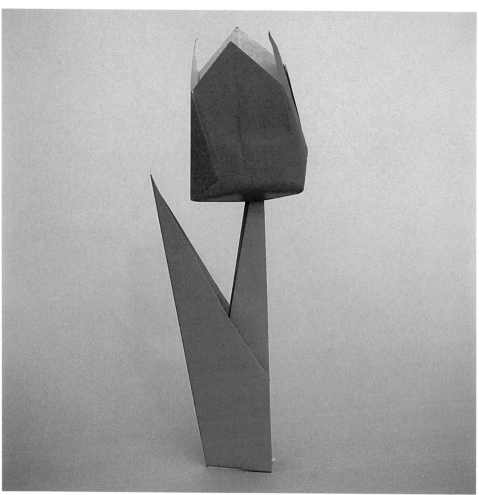

PATRULLERA

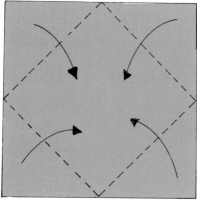

1. Dobla una hoja cuadrada por las líneas.

2. Vuelve a extender las dos solapas.

3. Dobla por las líneas.

4-5. Dobla por las líneas.

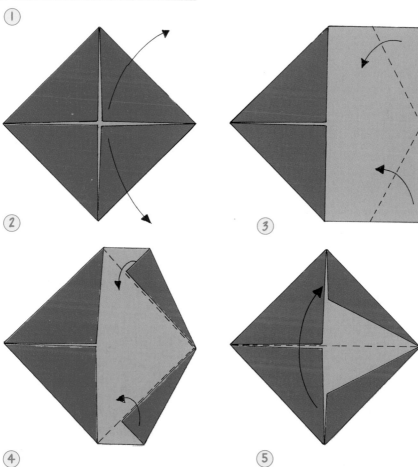

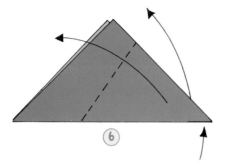

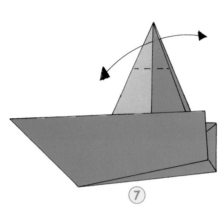

⑥ Dobla en ambos sentidos por la línea y levanta la punta hacia dentro.

⑦ Dobla en ambos sentidos.

⑧ Aprieta la punta para que vuelva a entrar.

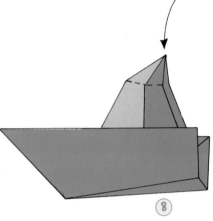

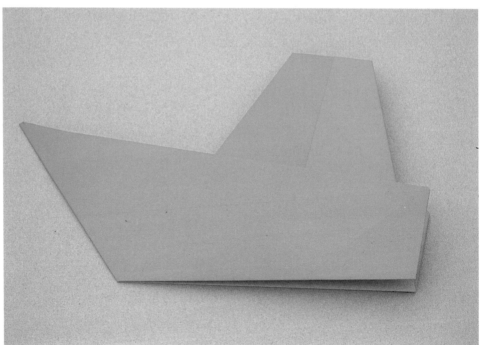

PIANO

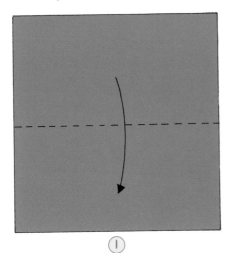

(1)

❶❷❸ Dobla por las líneas y vuelve a abrir.

❹ Extiende los bordes doblando por las líneas y baja los dos vértices según se indica.

❺❻❼ Dobla por la línea.

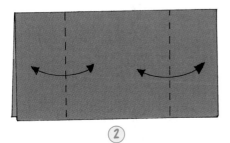

(2)

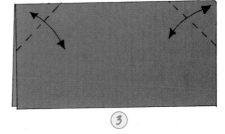

(3)

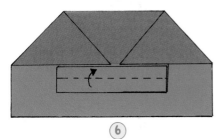

(4)

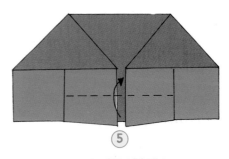

(5)

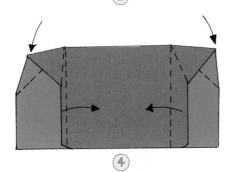

(6)

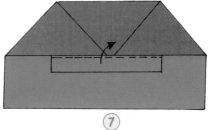

(7)

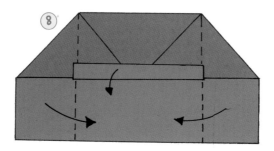

8 Dobla por la línea llevando las dos solapas y la parte central perpendicularmente hacia el piano.

AVIÓN

1 Dobla por la línea diagonal y vuelve a abrir.

2 3 Dobla por las líneas.

4 5 Dobla por las líneas.

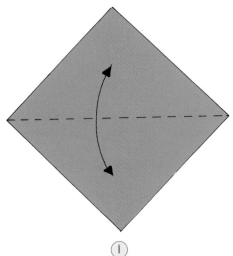

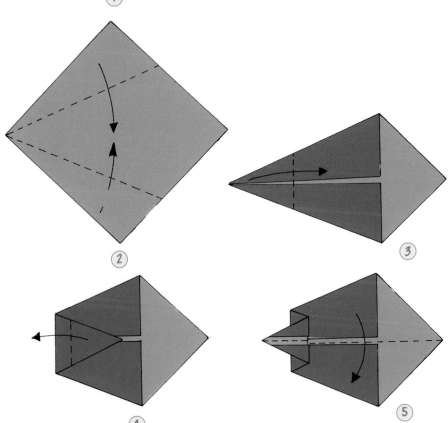

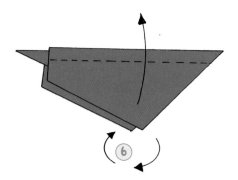

6 Dobla por la línea.

7 Dobla el borde central por la línea.

8 Baja la parte superior según la flecha.

9 Extiende la figura.

10 11 Dobla la punta según se indica.

12 Vuelve a doblar por la parte central.

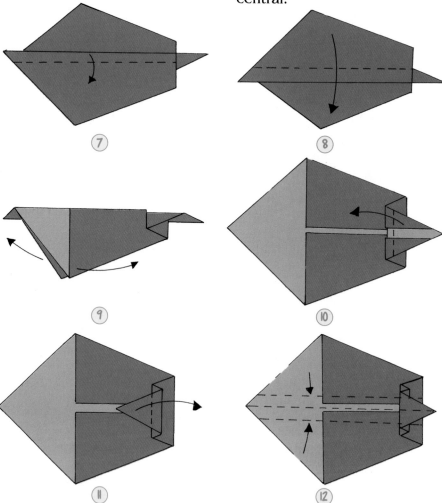

MODELO ORNAMENTAL

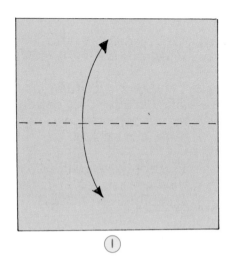

① Dobla por la línea
y vuelve a abrir.

② Dobla según las flechas.

③ Dobla y vuelve a abrir.

④ Dobla según las flechas
y vuelve a abrir.

⑤ Levanta la parte central de la
solapa empujando suavemente
la punta hacia dentro.

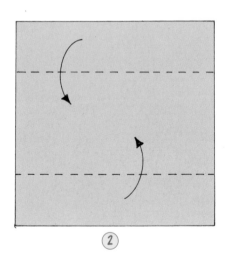

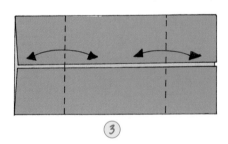

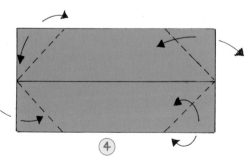

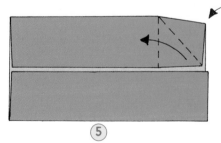

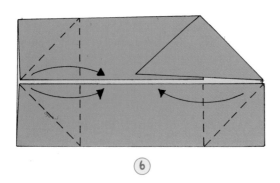

6 Tras el paso anterior, repite la operación con los otros ángulos.

7 Dobla las solapas interiores según se indica.

8 Vuelve a levantar las dos solapas interiores dándoles forma perpendicular en la base de la figura.

9 Acopla las solapas inferiores en las superiores doblando por la línea.

10 ¡Ya lo tienes!

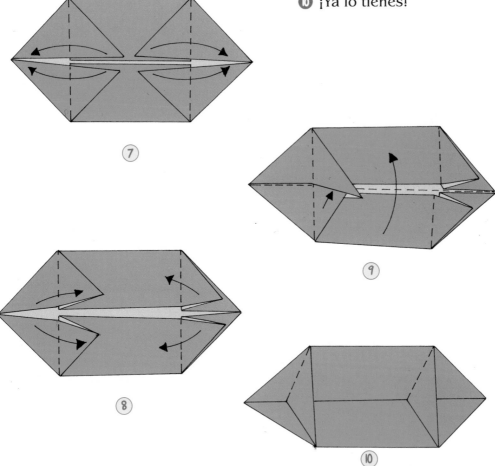

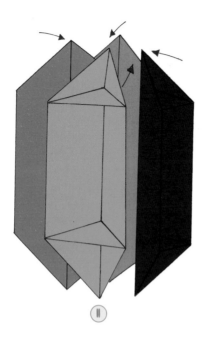

⓫ Construye tres piezas más y únelas a la primera: conseguirás un gracioso péndulo. Utiliza papel de colores y brillante.

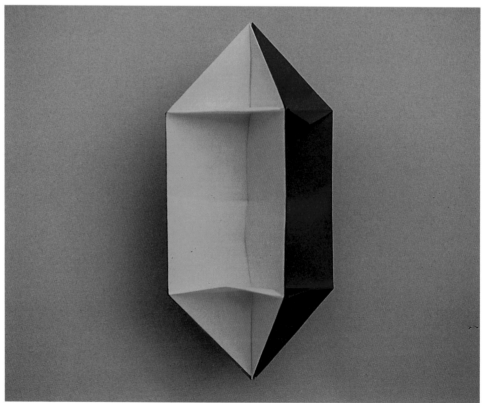

CUBILETE

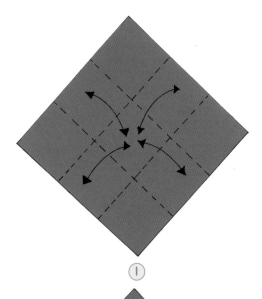

❶ Dobla por las líneas y desdobla.

❷ Dobla por la línea.

❸ Dobla por las líneas y desdobla.

❹ Dobla hasta conseguir la siguiente forma.

❺ Dobla hacia atrás.

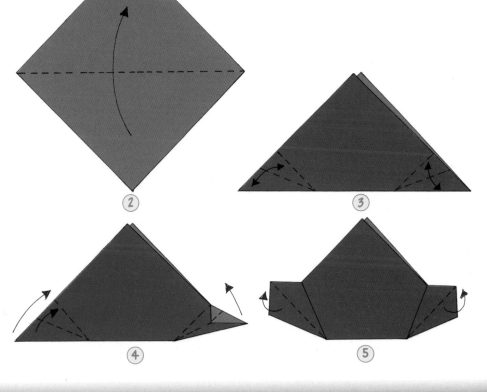

41

6 Extiende el patrón doblando por las líneas, pero teniendo presente el próximo paso.

7 Dobla las lengüetas hacia dentro.

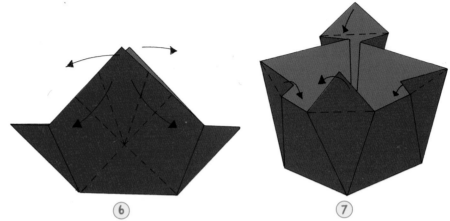

DECORACIÓN

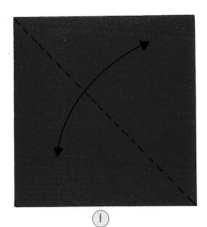

1 Dobla y desdobla siguiendo la línea diagonal del cuadrado.

2 Dobla.

3 Gira.

4 Dobla por la línea.

5 Gira.

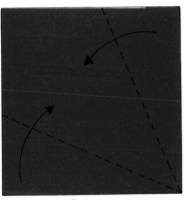

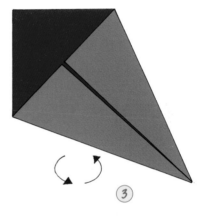

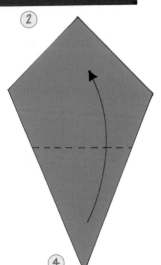

43

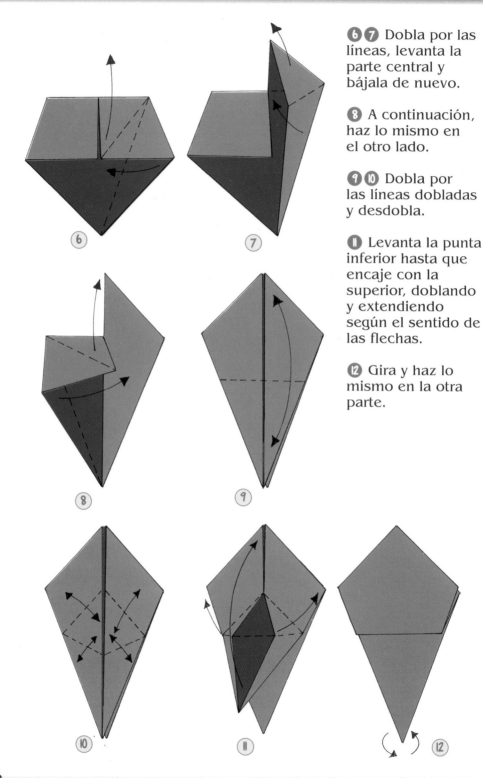

6 7 Dobla por las líneas, levanta la parte central y bájala de nuevo.

8 A continuación, haz lo mismo en el otro lado.

9 10 Dobla por las líneas dobladas y desdobla.

11 Levanta la punta inferior hasta que encaje con la superior, doblando y extendiendo según el sentido de las flechas.

12 Gira y haz lo mismo en la otra parte.

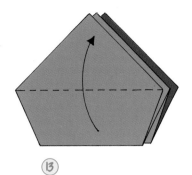

13 Levanta doblando por la línea.

14 Gira.

15 Baja la punta doblando por la línea.

16 Baja la solapa doblando por la línea.

17 **18** Dobla por las líneas, levanta la punta llevándola hacia la parte central.

19 A continuación, dobla por la línea.

20 Baja doblando por la línea.

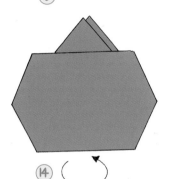

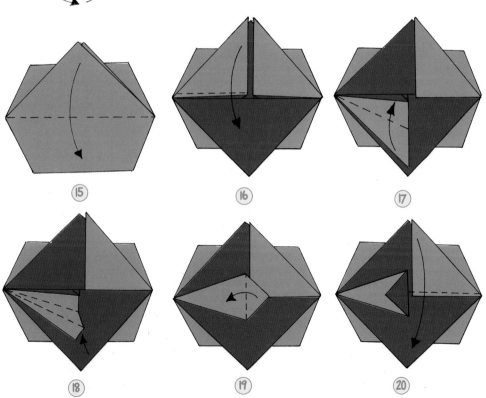

45

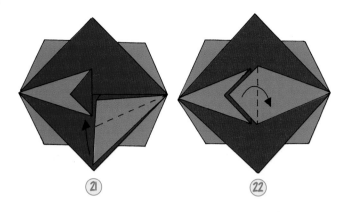

21 Dobla por la línea llevando la arista de la punta al centro de la decoración.

22 A continuación, dobla por la línea.

ESTRELLA

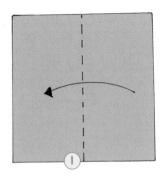

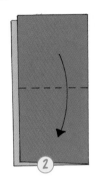

1 2 Dobla por las líneas.

3 4 Levanta la punta y extiéndela.

5 6 7 Haz lo mismo en el otro lado hasta obtener una base triangular.

8 Dobla por la línea en ambos sentidos y coloca de nuevo la punta como en el paso sucesivo.

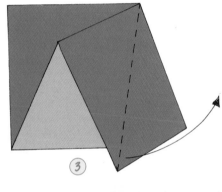

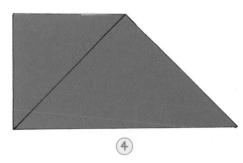

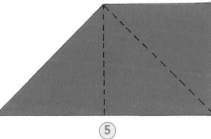

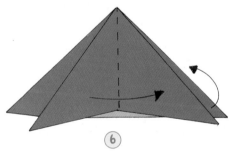

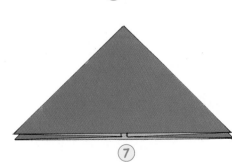

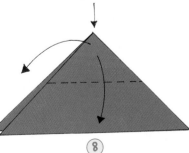

47

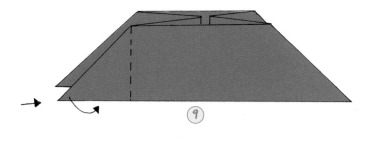

9 Dobla la punta siguiendo la línea y colócala hacia dentro.

10 Hazlo de nuevo con la otra punta.

11 El módulo ya está terminado. Construye otros cinco, si quieres, de distintos colores.

12 Acopla cuatro módulos como se indica en la ilustración.

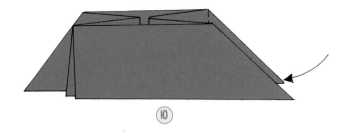

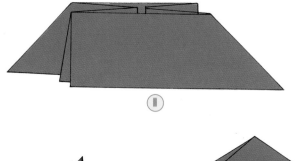

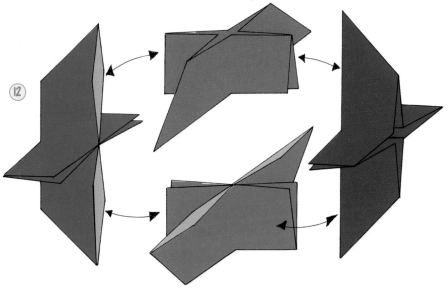

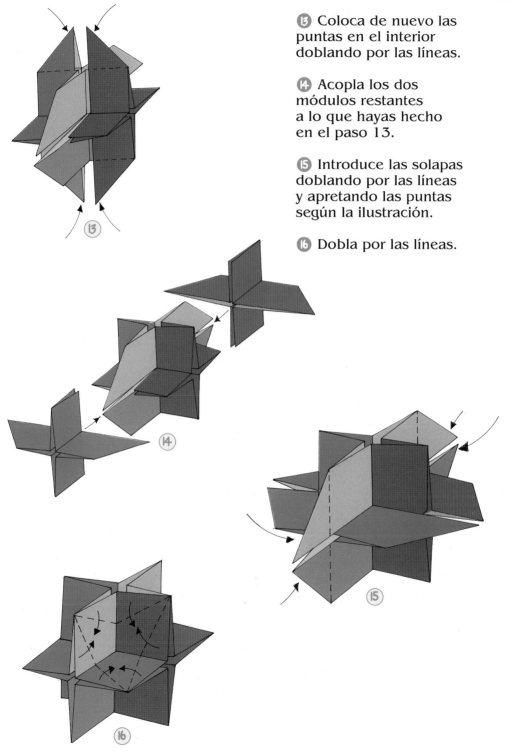

13 Coloca de nuevo las puntas en el interior doblando por las líneas.

14 Acopla los dos módulos restantes a lo que hayas hecho en el paso 13.

15 Introduce las solapas doblando por las líneas y apretando las puntas según la ilustración.

16 Dobla por las líneas.

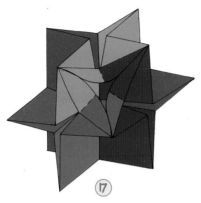

(17)

17 A continuación, haz lo mismo en los demás lados.

DODECAEDRO MODULAR

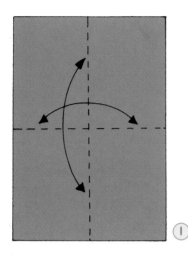

❶ Dobla una hoja de tamaño A4 por las líneas y desdóblala.

❷❸ Dobla por las líneas.

❹ Dobla por la línea procurando introducir las solapas interiores como indica la flecha.

❺ Aproxima ambas superficies.

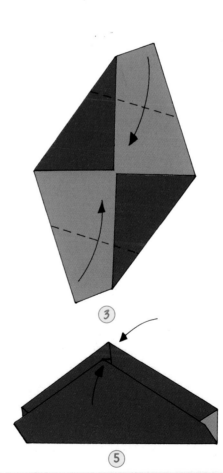

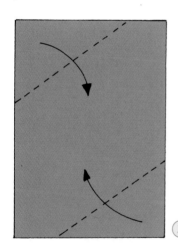

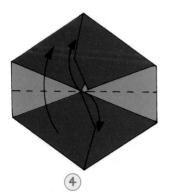

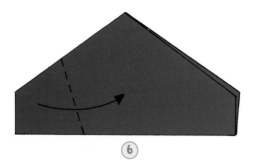

6 7 Dobla por las líneas.

8 Desdobla.

9 Dobla siguiendo la dirección contraria y desdobla. Construye doce módulos iguales.

10 Entre dichos módulos, introduce tres módulos como indican las ilustraciones. Construye cuatro estructuras iguales.

⑥

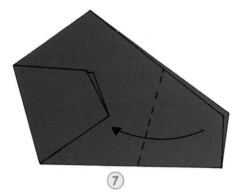

⑦

⑧

⑨

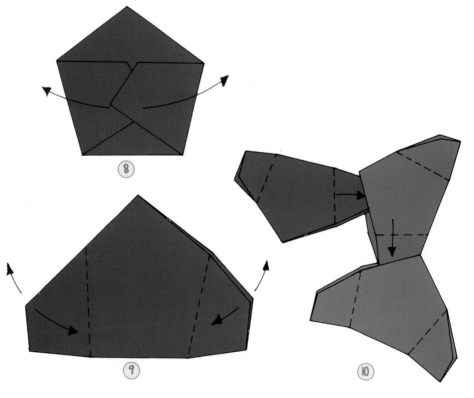

⑩

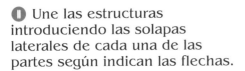

11 Une las estructuras introduciendo las solapas laterales de cada una de las partes según indican las flechas.

12 Dobla del mismo modo la cuarta estructura.

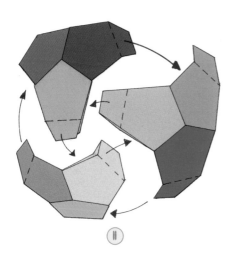

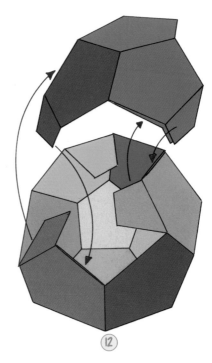

⑪

⑫

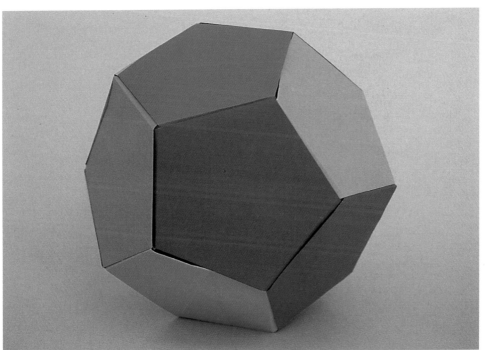

AVES

POR E. AZZITÀ

Deja volar tu fantasía. Ha llegado
el momento de enfrentarte a la
creación de pájaros y otros
animales voladores: crearás un
tierno gorrión, una espléndida
mariposa o un búho muy simpático.
En estas páginas vas a encontrar un
sinfín de ideas para tus
creaciones: algunas te van a costar poco,
otras serán un poco más complicadas,
pero con todas podrás pasar tardes
inolvidables y experimentarás la
sensación única de estar creando: verás
cómo una simple hoja de papel, tras doblarla
unas cuantas veces, se transforma en una auténtica
obra maestra, fruto de la habilidad.

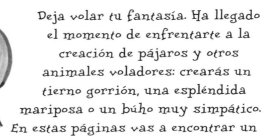

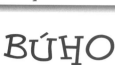

BÚHO

① Coloca una hoja sobre una mesa. Dobla y desdobla siguiendo la línea diagonal «AC». Lleva los lados «AB» y «AD» hacia la línea diagonal «AC».

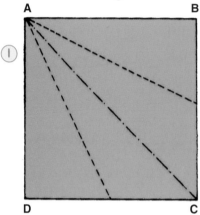

② Vuelve a doblar la punta «A» hacia dentro. Dobla hacia delante los ángulos «B» y «D» siguiendo las líneas 1 y 2.

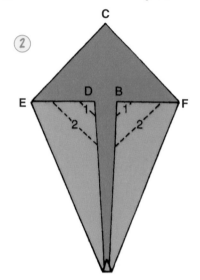

③ Dobla el ángulo «C» llevándolo hacia delante por la línea.

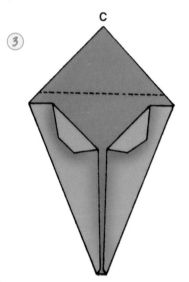

④ A continuación, elaborarás las orejas. Dobla hacia atrás los ángulos «E» y «F», por los puntos. Seguidamente, dobla por la línea.

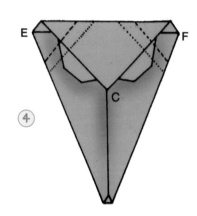

5 Para obtener el pico del búho, primero dobla el ángulo «C» hacia atrás y luego hacia delante. Dobla la línea superior hacia atrás siguiendo los puntos. Harás la cabeza del búho doblando hacia delante y hacia atrás la parte bajo el pico.

6 Dobla hacia atrás los ángulos «G» y «H». Con la punta «A», repite lo mismo pero hacia atrás. Ahora dobla la punta «A» hacia delante. Ya tienes la cola.

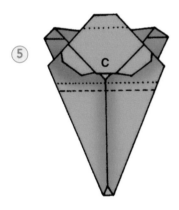

7 Para las patas, sencillamente dobla los ángulos «I» y «J» hacia atrás y luego hacia delante. Dobla los ángulos «F» y «E» hacia las orejas por la línea.

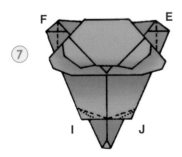

MARIPOSA

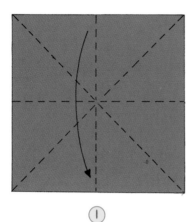

① Dobla en dos partes una hoja cuadrada.

② Vuélvela a doblar.

③ Te saldrá un paquetito cuadrado.

④ Levanta uno de los lados y empuja la arista para que quede en forma de triángulo.

⑤ Repite los pasos con otra hoja cuadrada.

②

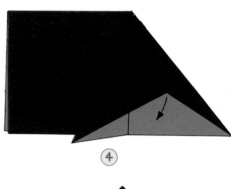

④

③

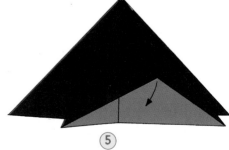

⑤

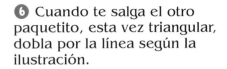

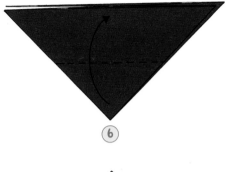

(6)

6 Cuando te salga el otro paquetito, esta vez triangular, dobla por la línea según la ilustración.

7 Ya lo habrás doblado todo.

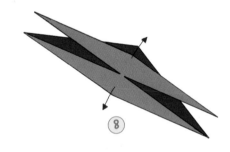

(7)

8 Separa las superficies laterales. La ilustración muestra el paquetito desde otro ángulo.

9 Cuando separes los lados, presiona sobre las dos aristas centrales.

(8)

10 A continuación, dobla la capa superior de las alas hacia arriba siguiendo las líneas.

11 Empuja las dos alas hacia abajo según muestra la ilustración.

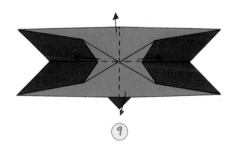

(9)

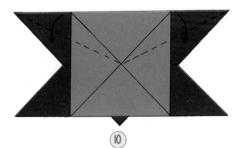

(10)

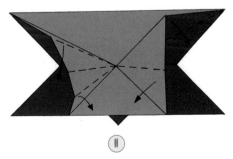

(11)

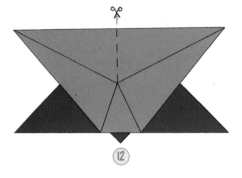

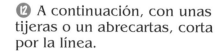 **A continuación, con unas tijeras o un abrecartas, corta por la línea.**

Dobla ambas alas…

… y gíralas según la ilustración.

Gíralo todo y levanta la punta doblando por la línea, como se indica.

El paso ya estará completado.

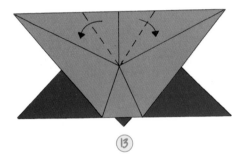

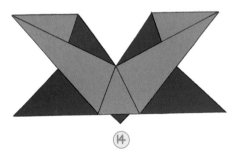

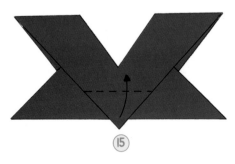

17 Gira el modelo y dóblalo por todas las líneas, encogiendo la parte central acercando los pliegues en la parte inferior.

18 Dobla la punta de las alas de abajo hacia arriba. La mariposa ya estará lista. A continuación, podrás construir las alas y la forma de tu creación. Te aconsejamos que utilices papel de colores.

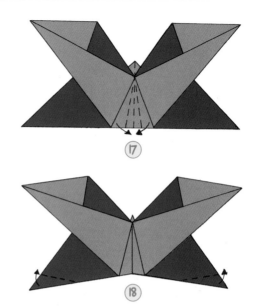

CIGÜEÑA

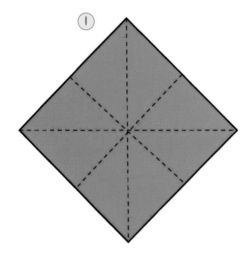

① ② ③ Dobla una hoja cuadrada por las líneas.

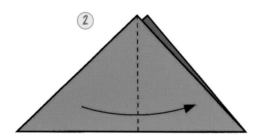

④ Levanta la punta y estira la parte interior de la solapa a fin de obtener un cuadrado.

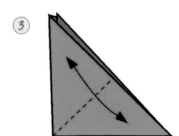

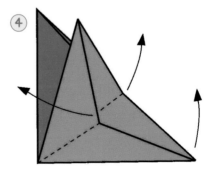

5 Haz lo mismo en la otra parte.

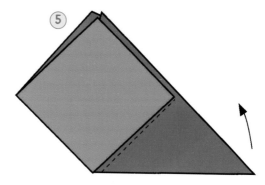

6 Dobla por las líneas.

7 Haz un giro de 180°.

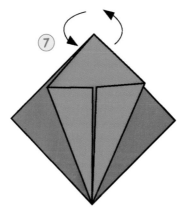

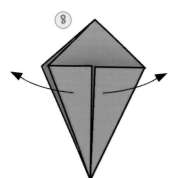

8 Repite el proceso y vuelve a abrir.

9 Levanta la punta como indica la ilustración.

10 Estira hasta que obtengas un rombo.

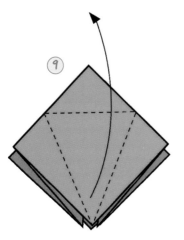

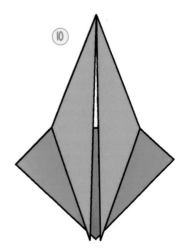

11 Gira las alas, que quedarán opuestas a 180°.

12 Dobla por la línea y levanta las dos puntas.

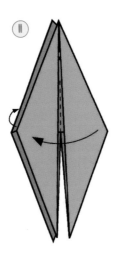

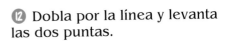

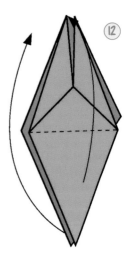

13 Tira las dos puntas opuestas según indica la flecha.

14 Baja las alas y dobla el pico.

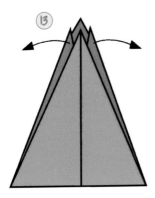

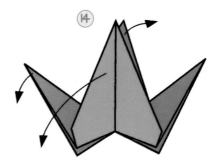

PAVO REAL

1 Dobla hacia delante por las dos líneas con rayitas y hacia atrás por las punteadas.

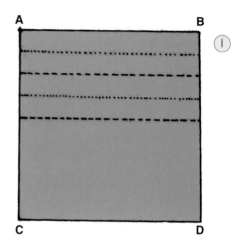

2 Gira la figura y dobla hacia delante por las líneas.

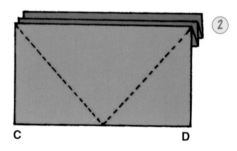

3 Dobla de nuevo hacia delante, siguiendo las líneas con rayitas.

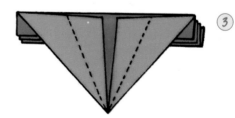

A B

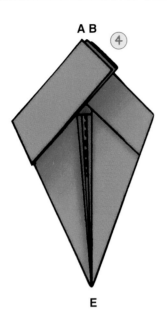

(4)

E

4 5 Ahora dobla la línea del medio hacia delante. Gira la forma que obtengas.

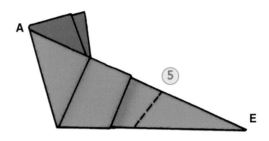

A

(5)

E

6 Con un pliegue del revés, lleva hacia fuera la punta E, dirigiéndola hacia arriba; es decir, perpendicular al modelo de la ilustración.

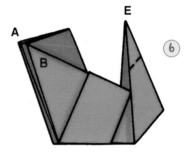

E

A

B

(6)

7 Con la punta E, sigue un pliegue doblado hacia fuera. Ya tendrás la cabeza del pavo. Abre la cola a modo de abanico.

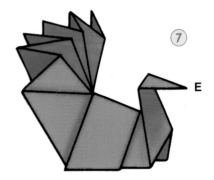

(7)

E

CUERVO

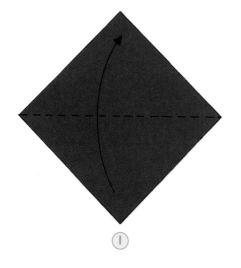

① ② Dobla por las líneas.

③ Dobla hacia atrás.

④ Dobla la punta y extiende.

⑤ Dobla por la línea.

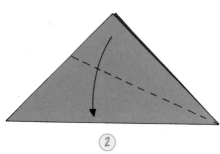

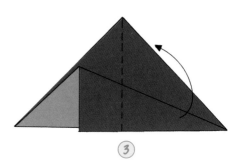

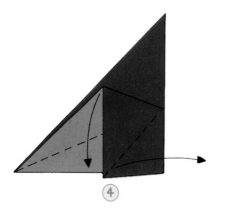

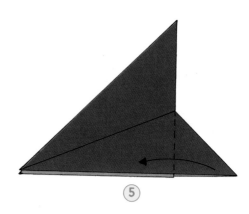

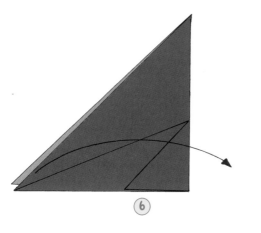

6 Abre.

7 8 Dobla
por las líneas.

9 Dobla y desdobla.

10 Dobla por las
líneas y aprieta la
punta hacia el interior.

(6)

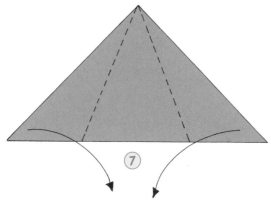

(7)

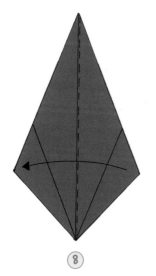

(8)

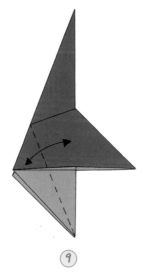

(9)

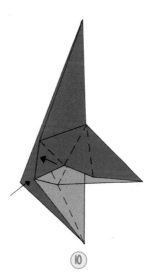

(10)

⓫ Haz lo mismo en la otra parte.

⓬ Dobla la punta en ambos sentidos; es decir, dóblala hacia delante.

⓭ Dobla ambas puntas hacia dentro.

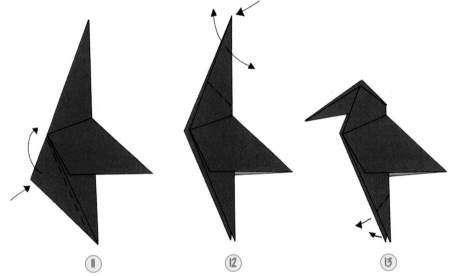

GOLONDRINA

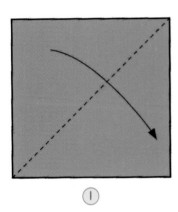

① ② ③ Dobla una hoja cuadrada según los lados que indican las flechas. Desdobla.

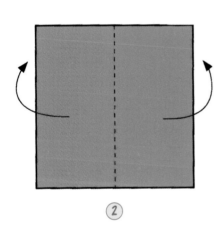

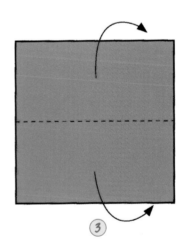

④ Acerca los vértices y los lados según las indicaciones.

5 En poco tiempo habrás conseguido una base cuadrada.

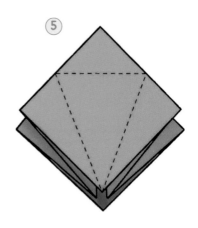

6 Dobla la parte superior según las líneas en la figura 5, introduciendo las solapas hacia dentro.

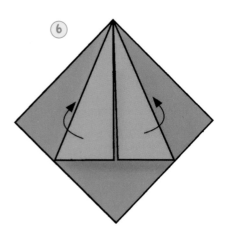

7 Levanta el vértice que queda abajo.

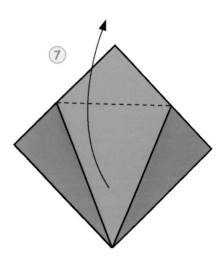

8 Estíralo todo y obtendrás un rombo. Luego gíralo.

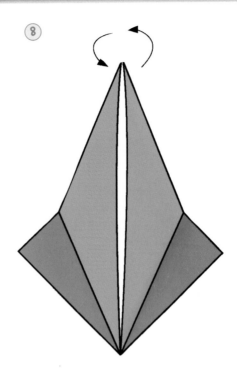

9 Repite en este lado los pasos anteriores.

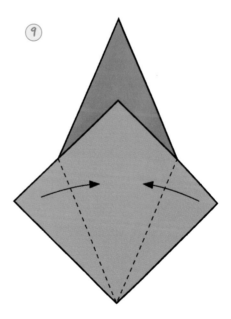

10 Una vez dobladas las solapas por fuera, hazlo por dentro.

11 Levanta el vértice de abajo.

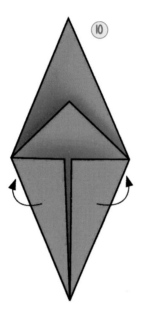

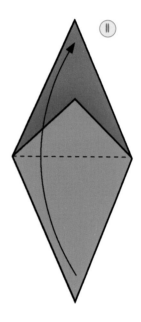

12 Dobla por las líneas en el sentido de las flechas.

13 Gira.

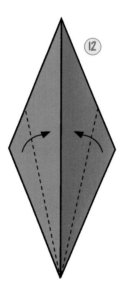

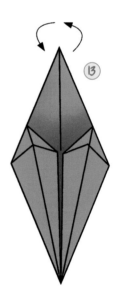

14 Dobla por las líneas y gira las alas en el lado indicado.

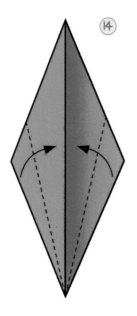

15 Gira dos alas opuestas como si fuesen las páginas de un libro: gira la de la izquierda hacia la derecha y la de la derecha hacia la izquierda.

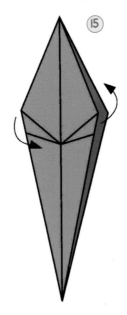

16 Se obtiene esta nueva forma. Dobla por las líneas y baja las puntas hacia la dirección indicada.

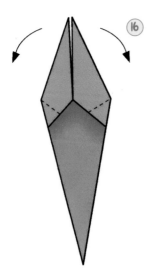

17 Dobla la parte de arriba por la línea y levanta la punta.

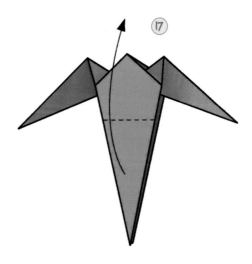

⑱ Dobla la punta levantada por las líneas y en el lado indicado.

⑲ Gira.

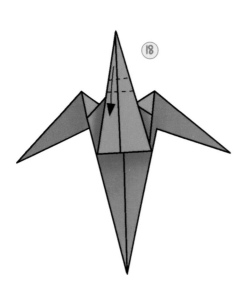

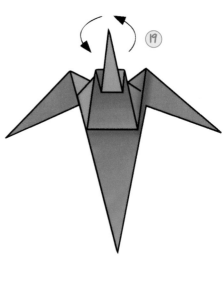

⑳ Corta con tijeras por la línea y separa las puntas.

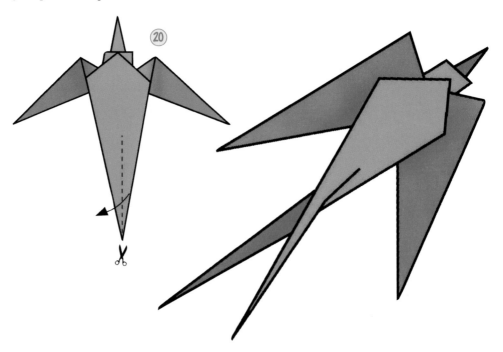

PÁJARO QUE PONE

1 Dobla una hoja cuadrada en línea diagonal.

2 Dóblala de nuevo en otras dos partes según la altura relativa a la hipotenusa.

3 Levanta la primera capa.

4 Sigue la operación anterior acercando las puntas.

5 Gira.

6 Vuelve a acercar las puntas.

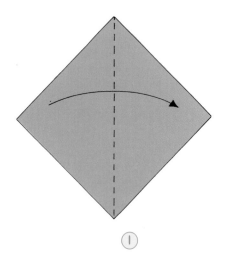

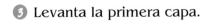

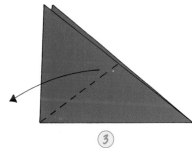

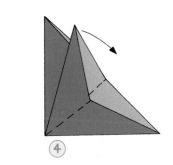

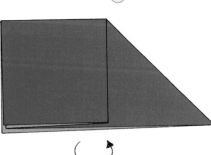

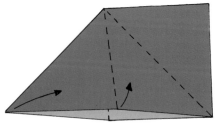

77

7 Ya tendrás la base para la construcción.

8 Dobla en ambos sentidos y luego desdobla. Dobla las dos solapas laterales en el sentido de las flechas.

9 Haz lo mismo en la parte escondida, doblando las solapas posteriores.

10 Gira una única solapa, de derecha a izquierda (debajo) y de izquierda a derecha (encima).

11 Baja la punta.

12 Haz lo mismo en la parte posterior.

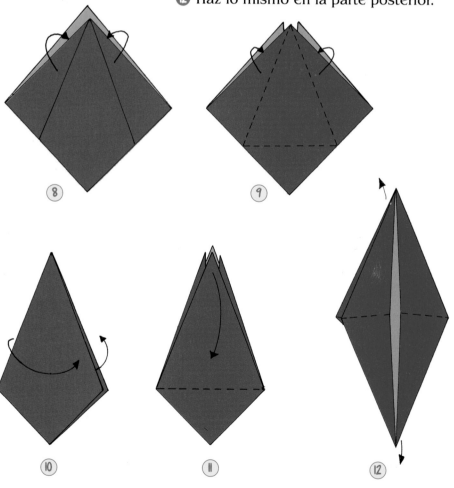

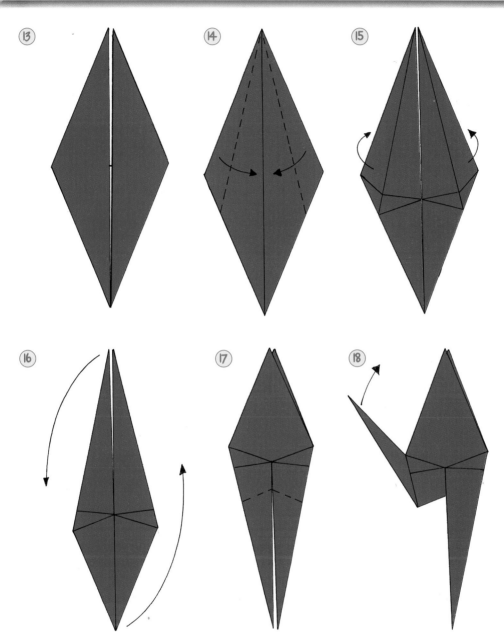

13 Extiende todo
lo que puedas.

14 Dobla siguiendo las líneas.

15 Realiza la misma operación
en el lado escondido.

16 Gíralo.

17 Dobla por la línea.

18 Levanta la punta.

79

19 Dobla el extremo de la punta elevada y levántala hacia la derecha.

20 Baja las alas.

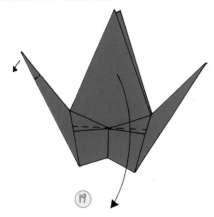

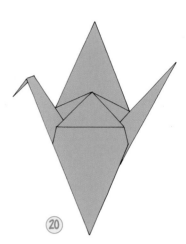

Esta figura, también conocida como «la grulla que pone», es sin duda una de las más populares.

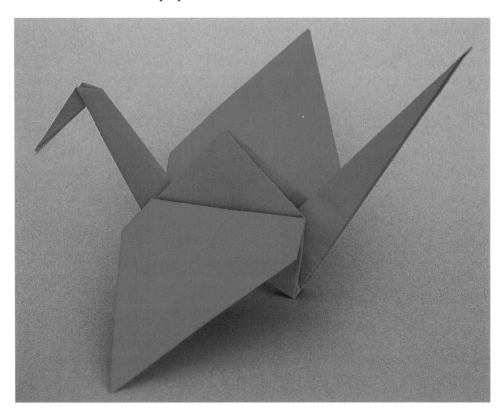

GORRIÓN

1 Dobla por las líneas.

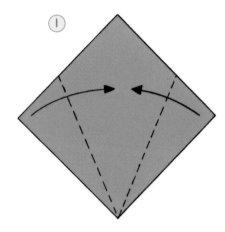

2 Dobla la lengüeta por detrás.

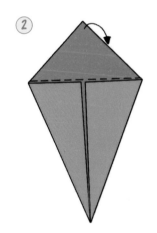

3 Dobla y levanta la punta central.

4 Baja la punta estirándola todo lo que puedas.

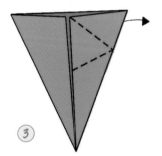

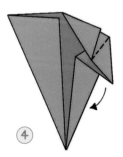

5 Hazlo de nuevo
en el otro lado.

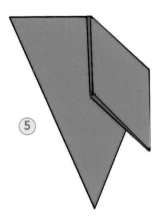

6 Dobla las dos puntas
según la ilustración.

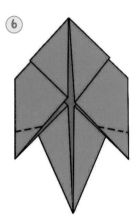

7 Dobla por la línea.

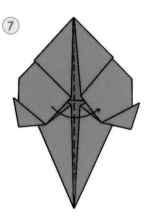

8 Dobla y baja la punta desde dentro.

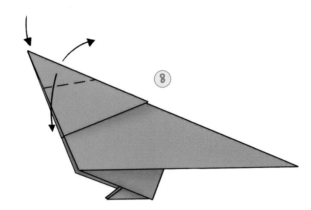

9 Dobla la punta en ambos sentidos según la línea y empújala para que vuelva a entrar.

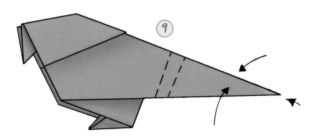

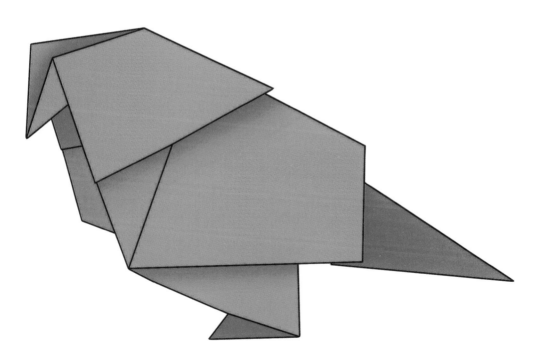

ANIMALES ACUÁTICOS Y TERRESTRES

Por E. Azzità

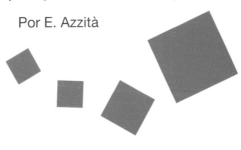

¿Y qué te parece si vemos cuáles son los animales que viven en el agua y los que tienen su hábitat en tierra firme? ¿Te atreves a crearlos doblando papel? Con fantasía, atención y habilidad, convertirás una simple hoja blanca en un espléndido cisne. Diviértete doblando un trozo de papel verde para dar cuerpo a una lentísima tortuga. Intenta hacerlos todos: te lo pasarás fenomenal. Además, dejarás de sentirte solo de noche, porque estarás rodeado de estos pequeños amigos que te harán compañía en la habitación.

PEZ

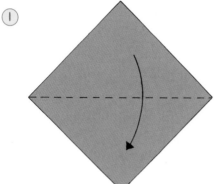

① ② Dobla por la línea.

❸ Dobla y desdobla.

❹❺ Estira la parte central aproximando las dos puntas. A continuación, gira la figura.

❻ Dobla a lo largo de las líneas.

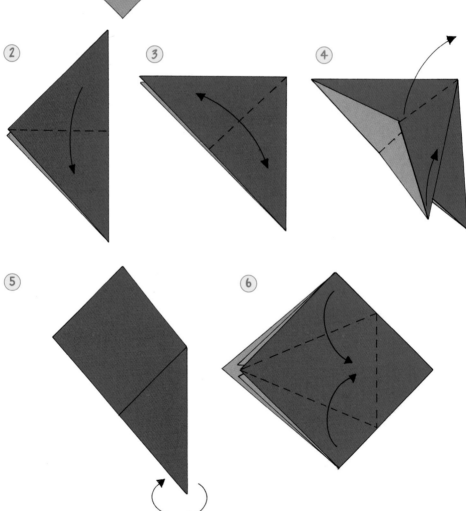

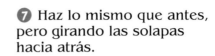
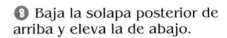

7 Haz lo mismo que antes, pero girando las solapas hacia atrás.

8 Baja la solapa posterior de arriba y eleva la de abajo.

9 Cambia la cara de la figura, dobla por la línea, separando bien las puntas.

10 A continuación, gira la figura y haz lo mismo en el otro lado.

11 Dobla por la línea según la flecha.

12 Gira y repite la operación en el otro lado.

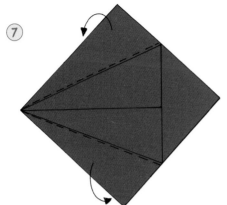

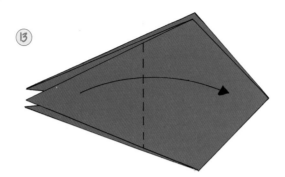

⑬ Dobla la lengüeta por la línea.

⑭ Dobla de nuevo, según la ilustración.

⑮ ⑯ ⑰ Modela la punta.

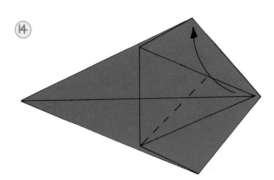

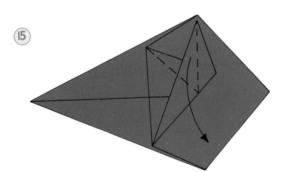

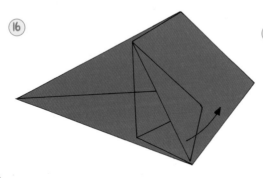

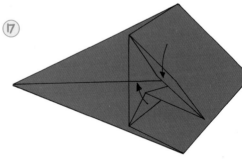

18 Dobla por la línea.

19 Gira el modelo y repite la operación en el lado opuesto.

20 **21** Dobla por las líneas según las flechas.

22 Aleja la punta.

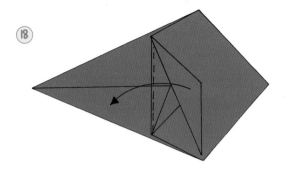

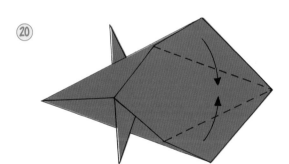

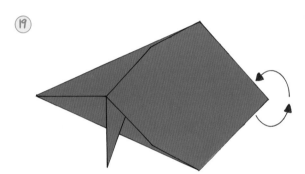

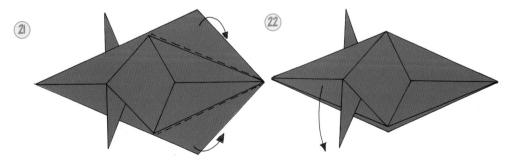

23 Baja a partir
del pliegue central.

24 A continuación, repite la
operación con la parte superior.

PATO SALVAJE

❶❷ Dobla por las líneas y desdobla.

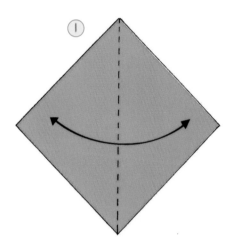

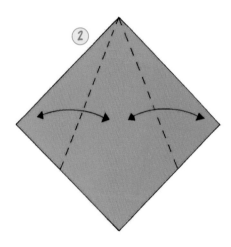

❸❹ Dobla por las líneas.

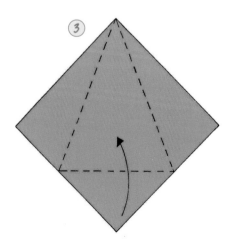

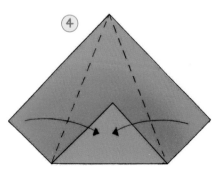

5 6 Levanta las solapas y dóblalas, dales un giro de 180°.

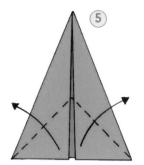

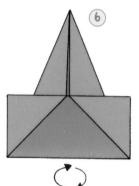

7 Dobla por las líneas.

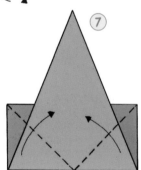

8 Baja la punta.

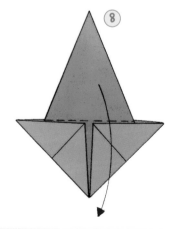

9 Dale un giro de 180°.

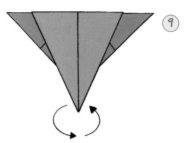

10 Levanta la solapa y dóblala siguiendo la línea.

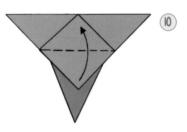

11 Dobla por el centro siguiendo la línea vertical, procurando que entre la parte superior marcada.

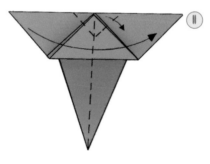

12 Dale un giro de 180°.

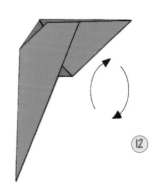

⓭ Dobla la punta en ambos sentidos y empújala hacia fuera.

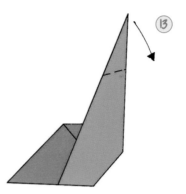

⓮ Dobla por las líneas en ambos sentidos y empuja la punta hacia atrás.

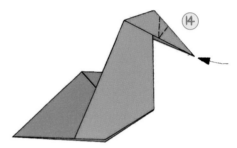

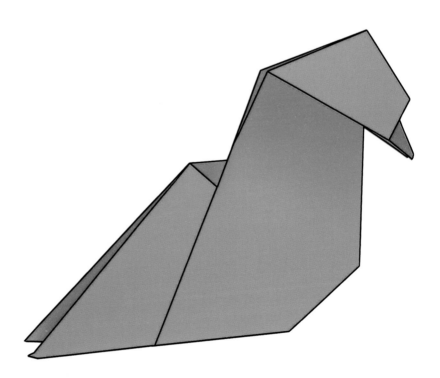

CISNE

❶❷ Dobla por las líneas y desdobla.

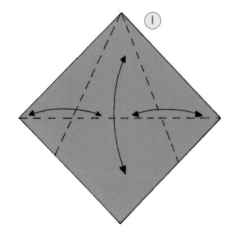

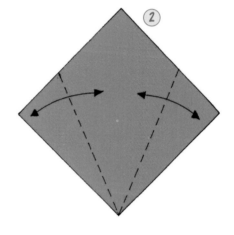

❸ Dobla y levanta según indican las flechas.

❹ Una vez ya tengas un rombo, baja las dos lengüetas centrales doblando por la línea.

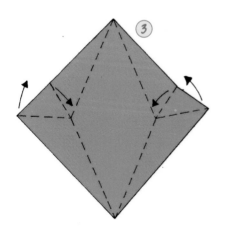

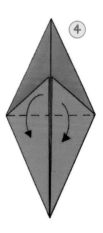

95

5 Dobla por la línea, de modo que encajen las dos caras escondidas.

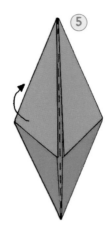

6 7 Dobla de modo que las puntas queden dentro.

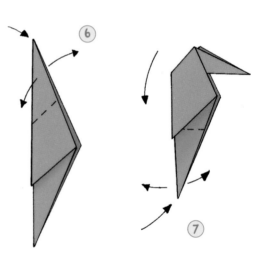

8 Dobla la punta hacia fuera.

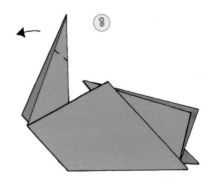

9 Empuja la cola hacia atrás.

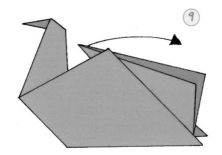

10 Modela el pico empujándolo ligeramente hacia dentro.

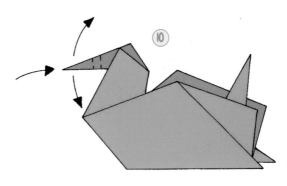

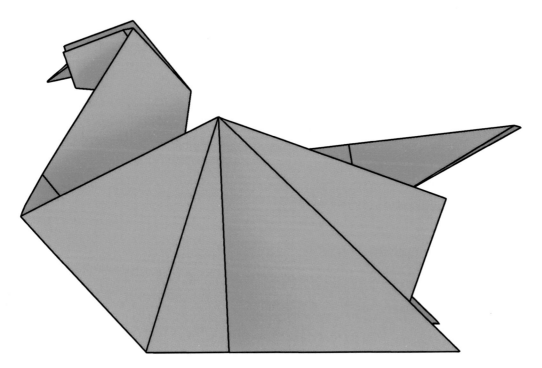

RANA

Con poca práctica, no es fácil reproducir este animal mediante la papiroflexia. Se aconseja el uso de hojas más bien grandes, porque, de este modo, los pliegues se realizarán con mayor precisión.

1 Dobla una hoja cuadrada por las líneas diagonales y las líneas del medio en ambos sentidos.

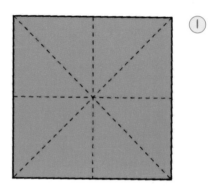

2 Dobla por la línea diagonal a fin de obtener un triángulo.

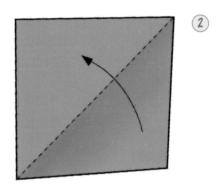

3 A continuación, dobla de nuevo por la línea.

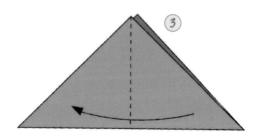

❹ Dobla otra vez el nuevo triángulo en ambos sentidos por la línea.

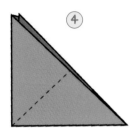

❺❻ El perfil izquierdo de la figura debería quedar como en la ilustración. Separa un borde según la dirección de la flecha: así obtendrás la combinación de un triángulo con un cuadrado.

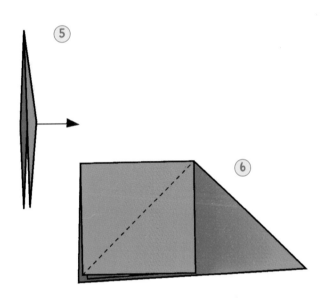

❼❽ El perfil ahora será como el de la ilustración. A continuación, separa el borde izquierdo siguiendo la pauta anterior.

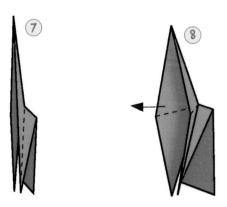

9 10 El resultado será la «base cuadrada», elemento fundamental para muchas figuritas de papiroflexia. Gírala.

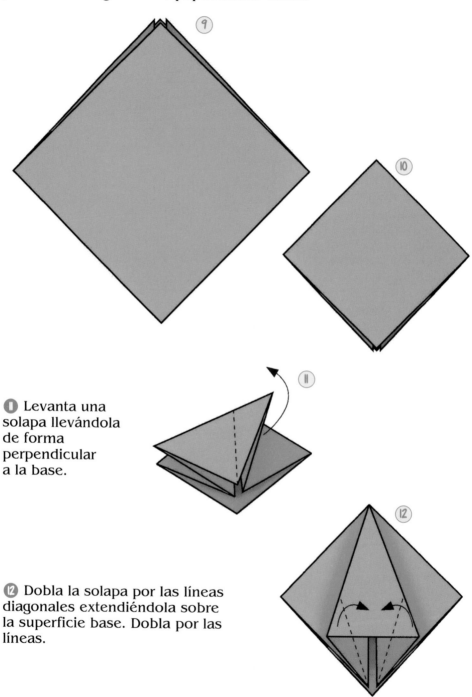

11 Levanta una solapa llevándola de forma perpendicular a la base.

12 Dobla la solapa por las líneas diagonales extendiéndola sobre la superficie base. Dobla por las líneas.

13 Ahora levanta la parte central.

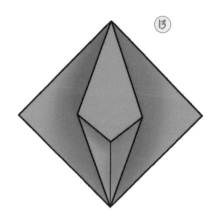

14 Presionando ligeramente con los dedos, sigue la operación.

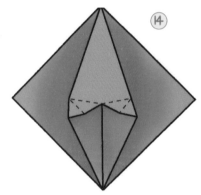

15 Cuando ya la hayas levantado, con la máxima precisión, incorpora la silueta romboidal en la superficie de la base.

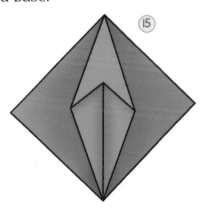

16 Repite el proceso con las otras tres solapas: obtendrás una estructura como la de la figura.

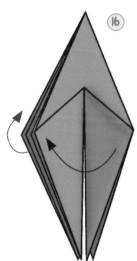

17 Gira una solapa de derecha a izquierda, y la que está debajo, de izquierda a derecha: la figura mostrará una cara romboidal, perfectamente unida.

18 Dobla por las líneas como se indica en el paso anterior.

19 Repite esta pauta en todas las caras.

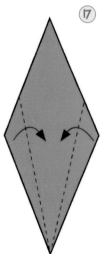

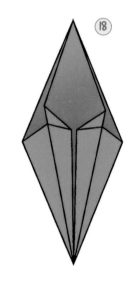

20 Gira la solapa superior de derecha a izquierda, y la inferior, de izquierda a derecha.

21 Levanta las dos puntas superiores de dentro acercándolas como muestra la ilustración.

22 Haz un pliegue doble como indica la ilustración.

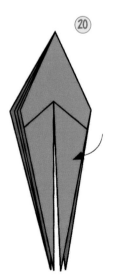

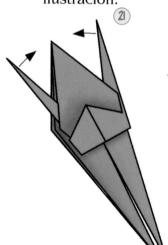

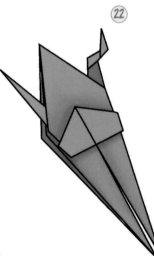

23 Ya tendrás las ancas delanteras. Gira la figura.

24 Haz las ancas traseras doblando las dos solapas largas que quedan.

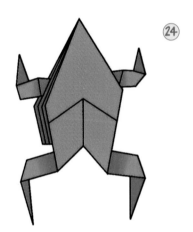

25 Deberás perfilar las ancas con cuidado. Para ello, tendrás que soplar en el agujero que indica la flecha. Así la figurita quedará hinchada.

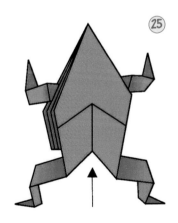

FOCA

1 Dobla la hoja cuadrada según las líneas.

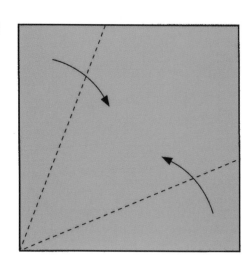

2 Lleva las solapas hacia el interior. Dobla por las líneas.

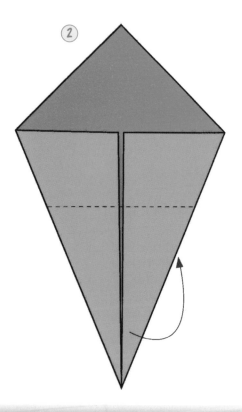

3 Dobla la punta de abajo hasta que coincida con el vértice superior.

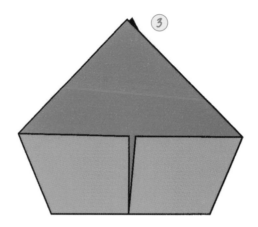

4 Haz que las solapas queden debidamente separadas.

5 Baja la punta escondida separándola completamente.

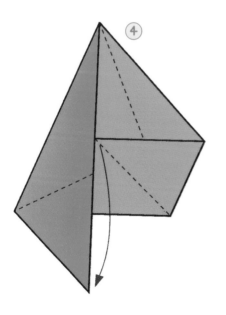

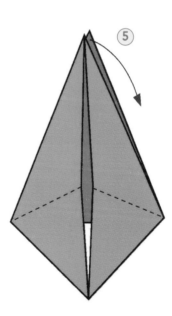

6 Da un giro de 90° según el sentido de las agujas del reloj.

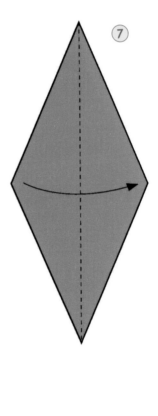

7 Dobla la figurita en dos partes, según el eje más grande.

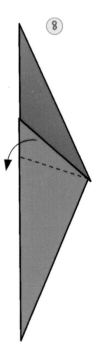

8 Baja la solapa doblando la línea, como indica la ilustración.

9 Dobla la parte inferior por la línea.

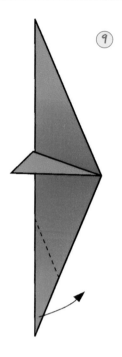

10 Dobla la parte superior por la línea.

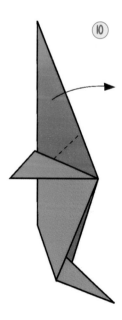

11 Vuelve a doblar por la línea.

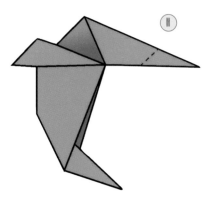

12 Dobla e introduce la extremidad del morrito.

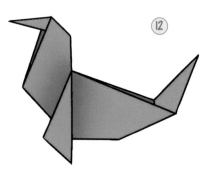

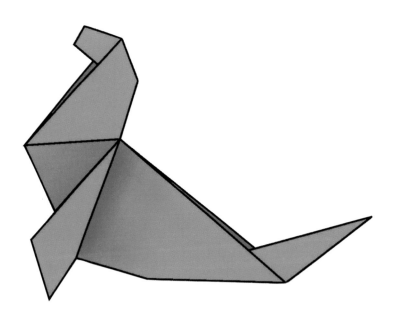

BALLENA

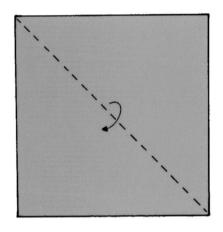

① Dobla una hoja cuadrada en línea diagonal. Desdóblala.

②③ Haz dos pliegues siguiendo las líneas y mantenlos cerrados.

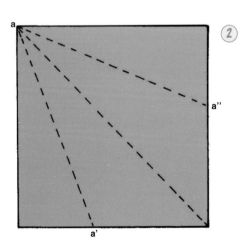

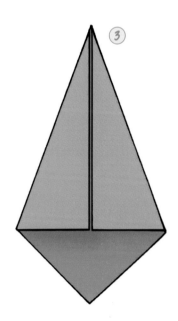

4 Haz otro pliegue
hacia dentro
por la línea.

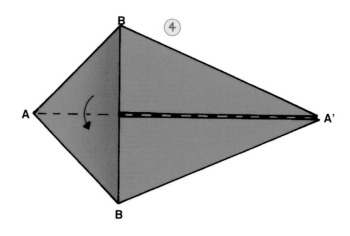

5 Dobla por la línea
«aa'» y desplaza el
triángulo «Aaa'» hacia
dentro. Se verá una
pequeña parte blanca.

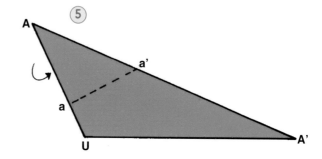

6 Traza la línea «aa'»
y dobla hacia arriba
el triángulo «Aaa'».

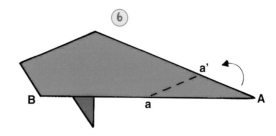

7 8 Con las tijeras, recorta
la cola siguiendo la línea «aa'»
y las aletas siguiendo
la línea «bb'». Vuelve a doblar
las aletas y la cola.

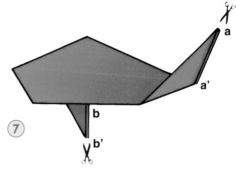

⑦

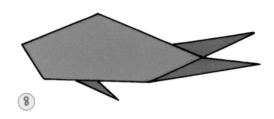

⑧

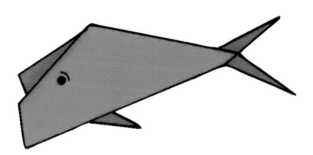

PEZ ESPADA

1 En una hoja cuadrada, marca la línea «CD» y haz el resto de pliegues indicados en la ilustración siguiendo las líneas, es decir, «Aa» y «Bb».

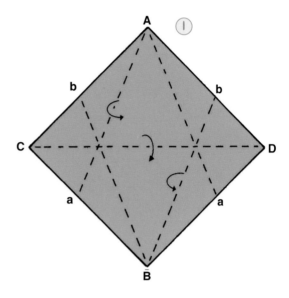

2 3 Desdobla la hoja, donde estarán trazadas las líneas principales, resultado del pliegue por la línea central «CD» entre ambos lados; levanta los vértices y obtendrás las líneas «Dd'» y «Cc'».

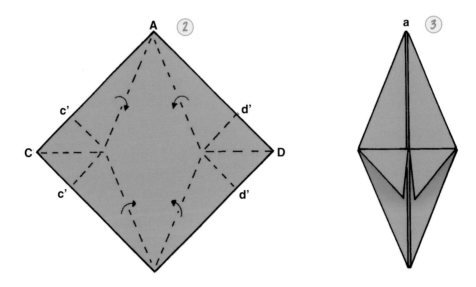

④ Haz que la figura gire 90° en el sentido contrario a las agujas del reloj. A continuación, haz otro pliegue por la línea «aa'» hacia atrás y pon boca abajo la figura.

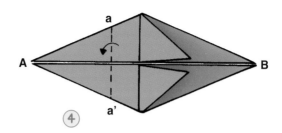

⑤⑥ Con las tijeras, corta por las líneas «aa'», doblando cuidadosamente la espada del pez de «A» a «a».

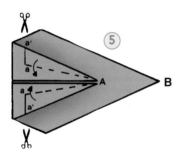

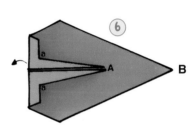

⑦ Dobla sacando la punta «A».

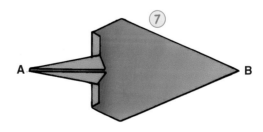

8 9 Pon la figura boca abajo de tal modo que hacia ti quede encarado el lado opuesto. Dobla por la línea «AB», luego dobla las aletas siguiendo la línea «aa'» llevándolas hacia delante.

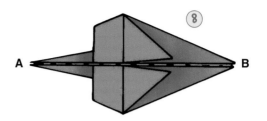

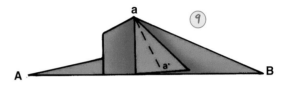

10 Dobla hacia atrás por la línea «aa'» a fin de formar la cola con el pliegue que envuelve; a continuación dobla las aletas por la línea «bb'». Completa el pez espada dibujándole los ojos con rotulador.

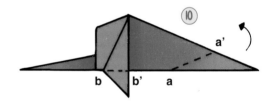

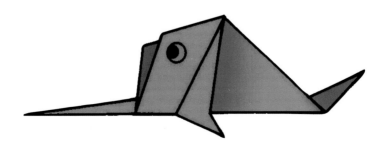

RATÓN

1 Dobla por la línea y desdobla.

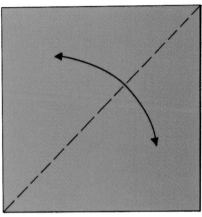

2 3 Dobla por las líneas.

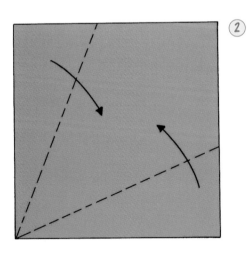

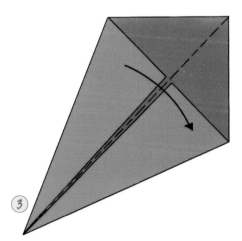

4 Dobla en ambos sentidos siguiendo la línea y baja la punta izquierda girándola.

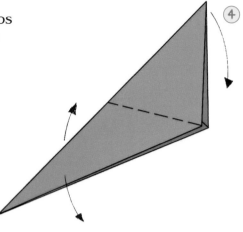

5 Gira la punta hacia arriba doblando por la línea.

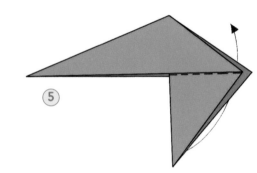

6 Dobla en ambos sentidos girando la punta nuevamente hacia abajo.

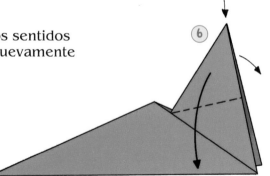

7 Dobla la parte superior por la línea. Gira la figura y haz lo mismo en el otro lado. Vuelve a girarla.

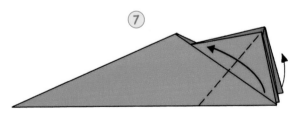

8 Dobla por las líneas según indican las flechas.

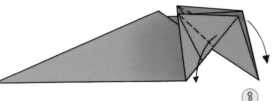

9 Redondea ambas puntas todo lo que puedas.

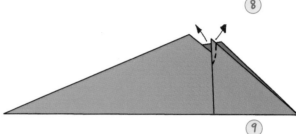

10 Dobla por las líneas y ponlo hacia dentro.

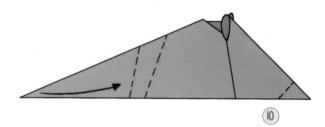

11 Gira los bordes inferiores hacia dentro.

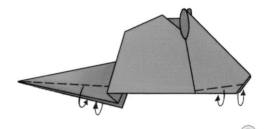

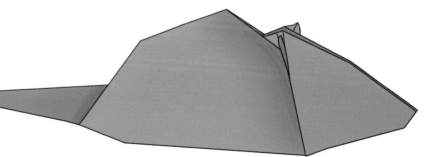

CONEJO

❶❷ Dobla por las líneas.

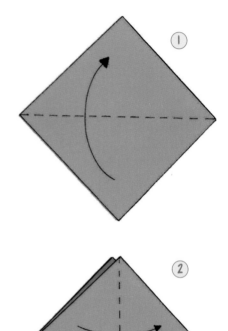

❸ Dobla por la línea y levanta el primer borde como indican las flechas.

❹ Realiza el paso anterior hasta que encajen las puntas.

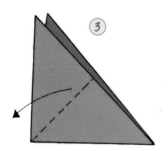

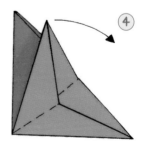

5 A continuación,
pon la figura boca abajo.

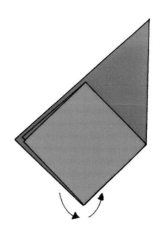

6 Dobla por las líneas
y baja la punta.

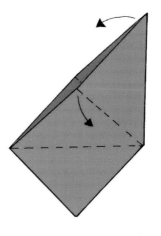

7 Cuando ya tengas la figura
cuadrada, dobla la primera
hoja por las líneas.

8 Haz lo mismo en el otro
lado y da a la figurita
un giro de 90°.

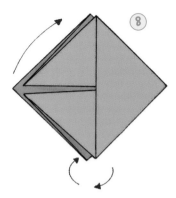

9 Dobla por las líneas
y desdobla.

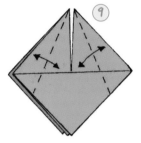

10 11 Coloca los ángulos hacia dentro, como indican
las flechas. Gírala a continuación.

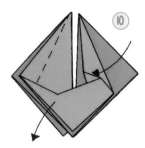

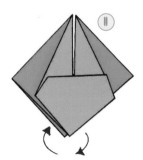

12 Tras repetir la operación, dobla la punta por la línea.

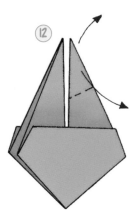

13 Dobla las dos puntas hacia dentro, como indica la ilustración.

GALLO

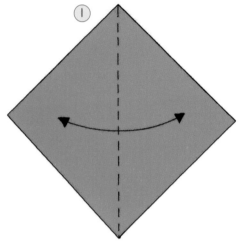

1 Dobla por la línea y desdóblala.

2 3 Dobla por las líneas.

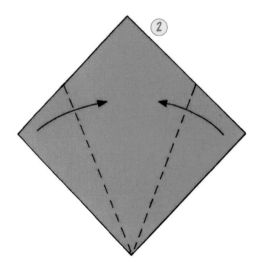

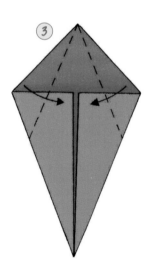

4 Dobla hacia atrás.

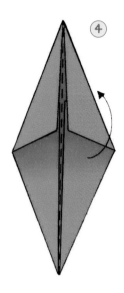

5 Dobla en ambos sentidos por la línea y levanta la punta según la ilustración, doblándola hacia dentro.

6 Dobla hacia dentro por la línea.

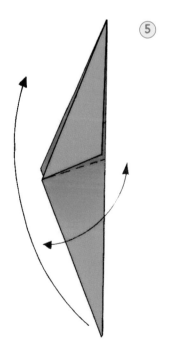

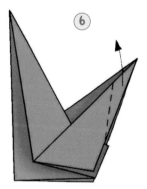

7 Dobla en ambos sentidos por las líneas, llevando las puntas como muestra la ilustración.

8 Vuelve a doblar las puntas siguiendo el sentido indicado.

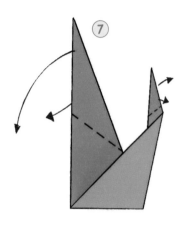

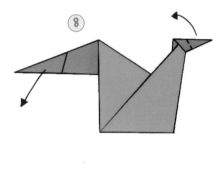

9 Dobla hacia dentro, gira la figura y repite el paso en la otra cara.

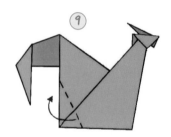

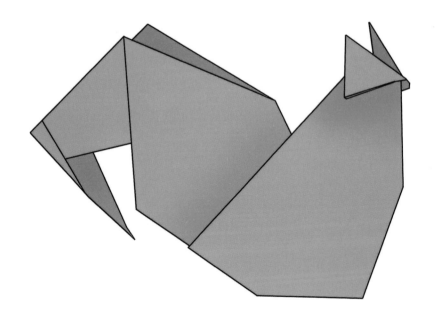

GALLINA

1 Dobla por las líneas y desdobla.

2 Dobla hacia atrás.

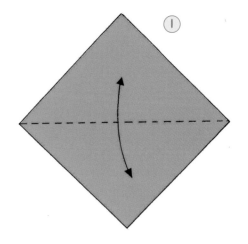

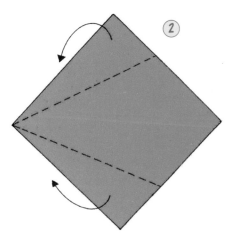

3 4 Dobla por la línea.

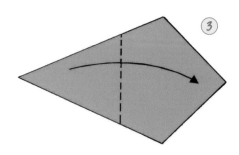

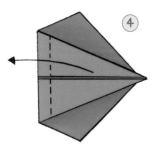

5 Dobla hacia atrás por la línea.

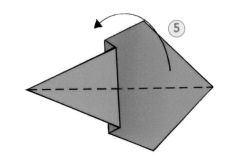

6 Dobla en ambos sentidos por la línea y aprieta la punta hacia dentro.

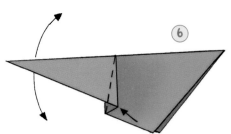

7 8 9 10 Dobla en ambos sentidos por la línea, modela y aprieta hacia dentro.

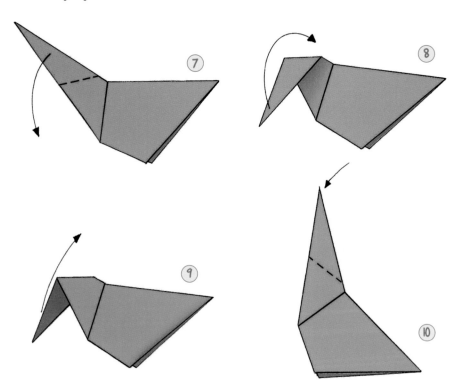

11 12 Haz lo mismo para realizar el pico.

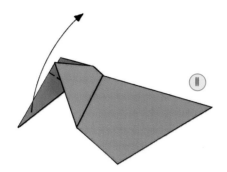

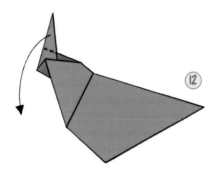

13 Eleva ligeramente el pico.

14 Dobla hacia fuera.

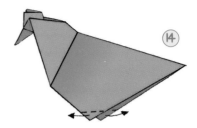

15 Dobla en ambos sentidos por las líneas y empuja la cola hacia dentro.

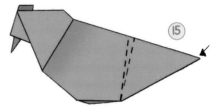

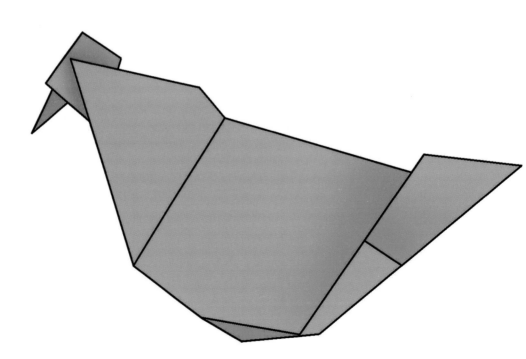

POLLITO

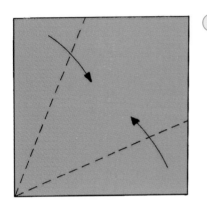

① **Dobla por las líneas.**

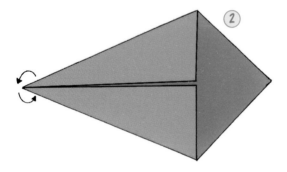

② **Gira.**

③④ **Gira por la línea.**

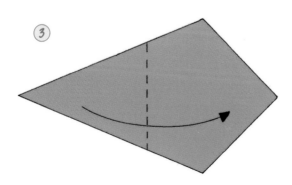

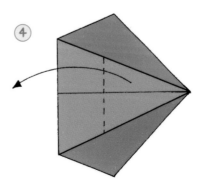

5 Gira.

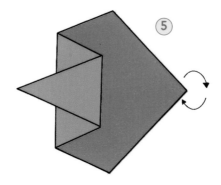

6 7 Dobla por las líneas.

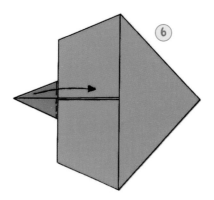

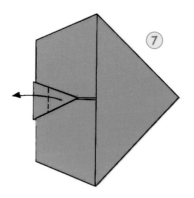

8 Dobla por la línea.

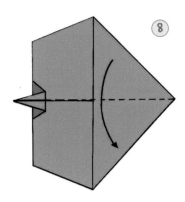

(8)

9 10 Dobla por la línea
y empuja la punta
hacia dentro.

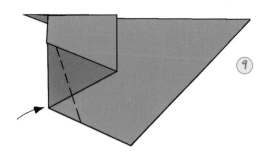

(9)

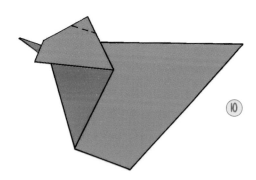

(10)

① Dobla por las líneas y empuja una parte de la punta hacia dentro.

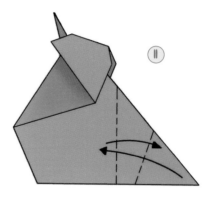

⑫ Gira hacia dentro ambas puntas.

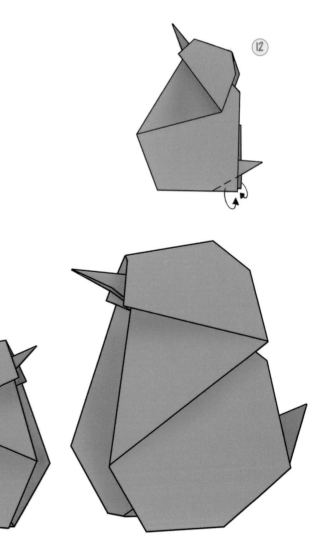

PAVO

1 Siguiendo las líneas diagonales «AD» y «BC», realiza dos pliegues hacia atrás. Desdobla y realiza dos pliegues hacia delante por las líneas centrales; a continuación, desdobla.

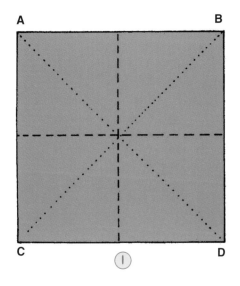

2 Solapa los ángulos «B» y «D» sobre «A». A continuación, solapa el ángulo «A» sobre el «C».

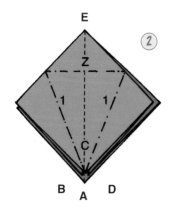

3 Ahora dobla los ángulos «F» y «G» por los puntos y desdobla. Solapa el ángulo «E» doblando por la línea 2.

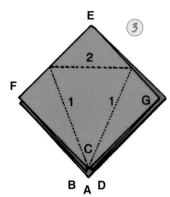

4 También en la línea 2, dobla hacia arriba el ángulo «C». A su vez, aprieta los ángulos «F» y «G» por la línea central.

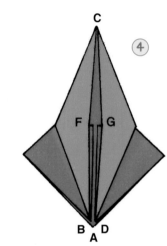

5 Coloca de arriba abajo la figura y repite los pasos en el lado opuesto.

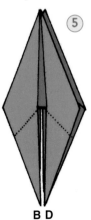

6 A continuación, realiza dos pliegues hacia dentro sobre las puntas «B» y «D». Dobla la punta «C» hacia delante.

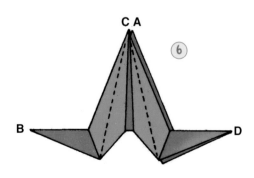

7 Lleva hacia arriba los ángulos indicados con una «X» siguiendo la línea del pliegue.

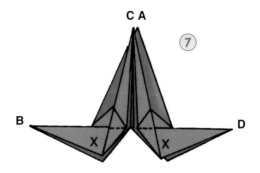

8 Realiza un pliegue hacia delante por las puntas «B» y «D» y dobla la punta «A» hacia abajo.

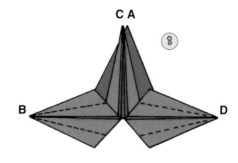

9 Dobla de nuevo las puntas «B» y «D» hacia abajo por el pliegue que habrás realizado anteriormente. Dobla hacia delante por la línea del centro. Gira la figura.

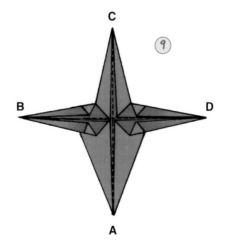

10 Toma la punta «C» y realiza un pliegue vuelto hacia fuera. Para obtener las patas del pavo, toma las puntas «B» y «D» y realiza los pliegues vueltos hacia dentro y hacia fuera.

❶ Corta el trocito marcado.

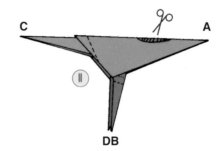

⓬ Toma la punta «C» y realiza los pliegues hacia dentro y hacia fuera. Así obtendrás la cabeza y el pico del pavo.

⓭ Realiza un pliegue hacia dentro sobre la punta «A».

⓮ Obtén las piernas realizando dos pliegues hacia fuera sobre las puntas «B» y «D».

⓯ Dobla en forma de acordeón una tira de papel. Introdúcela en la hendidura del cuerpo del pavo y desdóblala en forma de abanico.

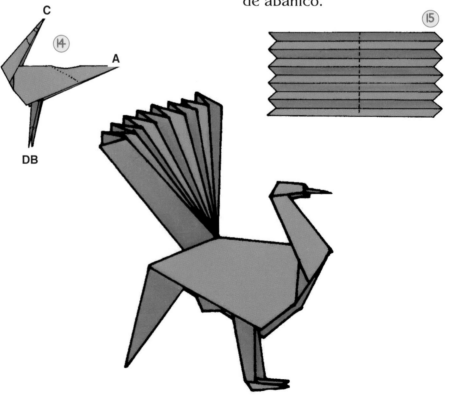

CIGARRA

1 Dobla una hoja cuadrada realizando una línea diagonal.

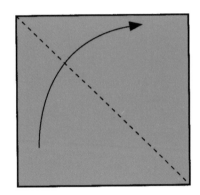

2 Dobla hacia dentro por las líneas.

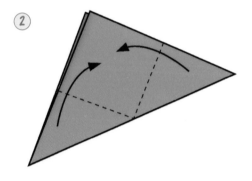

3 Realiza dos pliegues ligeramente oblicuos y baja las solapas hasta que las puntas queden algo separadas.

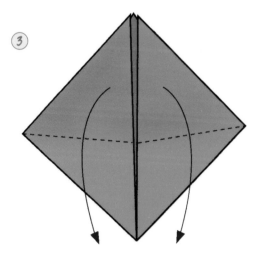

4 Realiza un pliegue horizontal en el centro de la orejita superior y baja la punta hacia abajo.

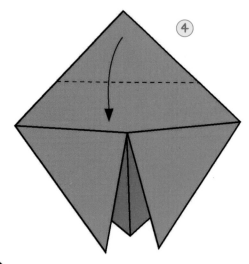

5 Dobla de nuevo por la línea.

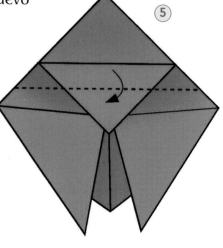

6 Dóblalo todo por las líneas oblicuas.

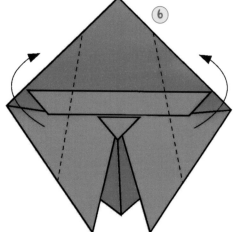

7 Obtendrás la silueta de la cigarra; a continuación, vuelve a doblar la punta por debajo, siguiendo la línea.

8 Dobla ambos ángulos por la parte superior a fin de estilizar los ojos.

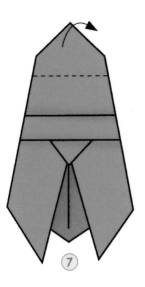

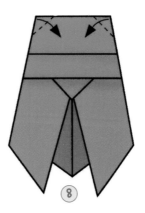

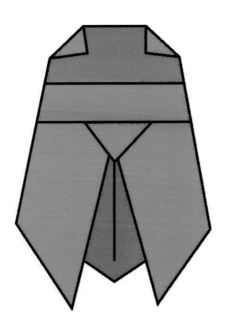

PINGÜINO

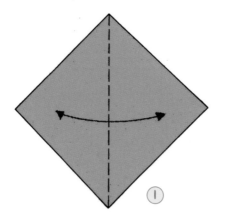

① Dobla una hoja cuadrada
por la línea diagonal
y desdobla.

②③④ Dobla por las líneas.

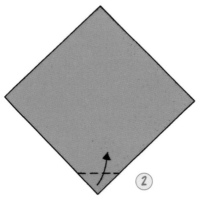

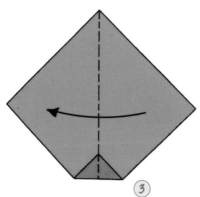

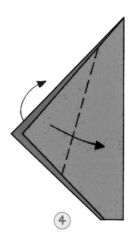

5 6 Dobla por la línea trazada girando la punta hacia delante. Dobla y modela el pico.

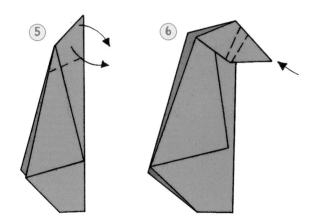

7 8 9 10 11 Dobla por las líneas y modela.

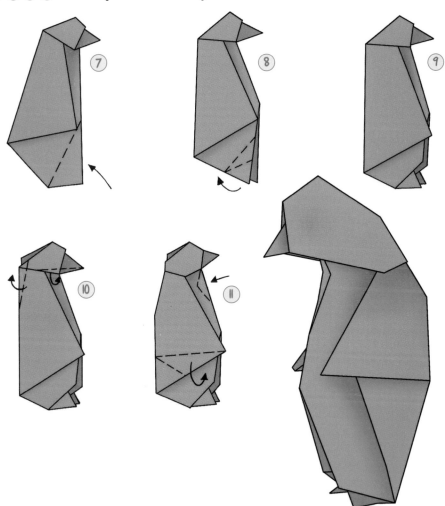

OSO

1 2 Dobla por la línea.

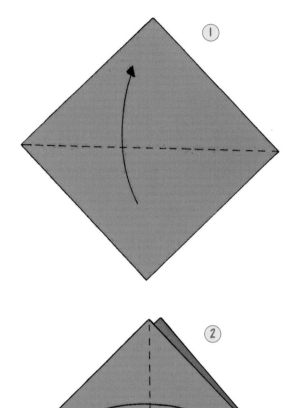

3 Dobla por la línea y levanta por el pliegue.

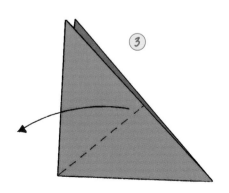

4 Repite el paso anterior, haciendo que encajen las puntas.

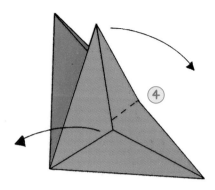

5 Haz lo mismo en el lado opuesto.

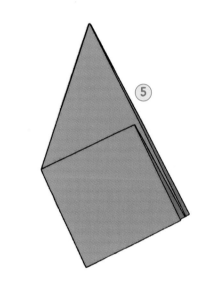

6 Dobla por las líneas.

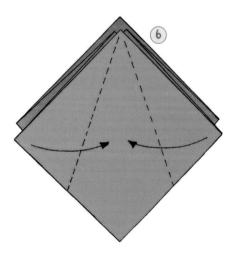

7 8 Baja la punta, gira la figura y repite el paso en el lado opuesto.

9 Dobla por las líneas.

10 Dobla la punta hacia arriba.

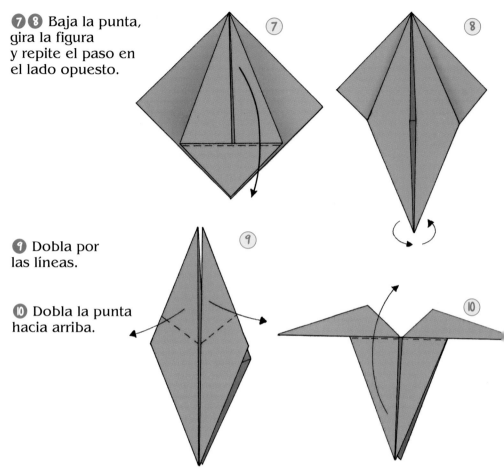

11 12 Dobla por las líneas según indican las flechas.

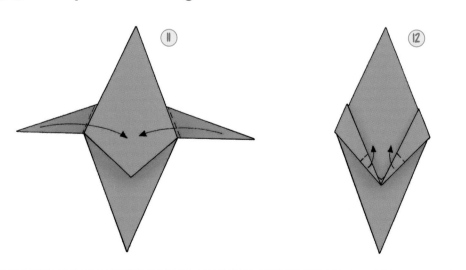

13 Corta por la línea.

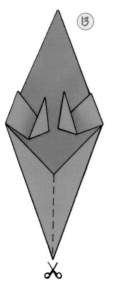

14 Dobla por las líneas.

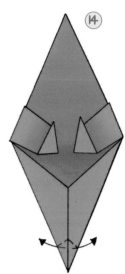

15 Haz dos cortes siguiendo las líneas.

16 Baja la punta.

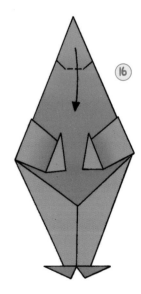

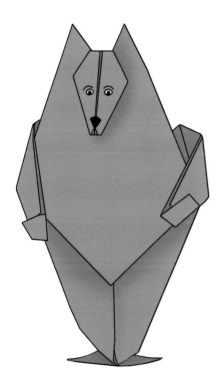

TORTUGA

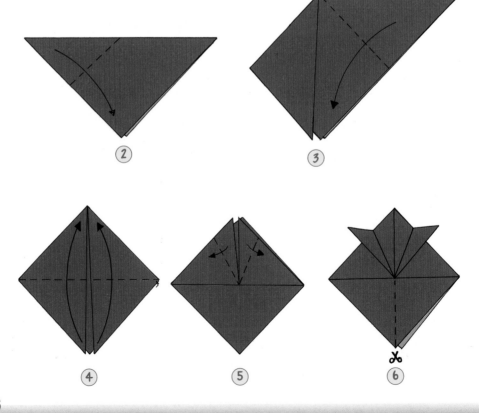

❶❷❸ Dobla por las líneas.

❹ Levanta ambas puntas doblando por la línea.

❺ Dobla por las líneas.

❻ Corta la primera solapa por la línea.

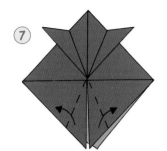

⑦

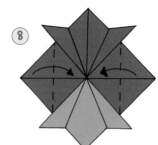

⑧

⑦⑧⑨⑩ Dobla por las líneas siguiendo las flechas.

⑪ Gira.

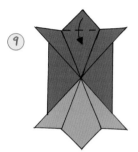

⑨

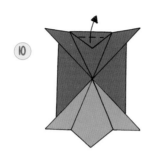

⑩

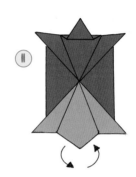

⑪

UN VIAJE A LA PREHISTORIA

POR WALTER-ALEXANDRE SCHULTZ

Atrévete a viajar al
pasado más remoto y
sitúate en la prehistoria,
cuando poblaban la Tierra
misteriosos animales, como el
pequeño pterodáctilo, el terrible diatryma o el
imponente tiranosaurio. Encontrarás numerosos
patrones, con su correspondiente explicación para que
crees tus «criaturas». Estas figuras requieren más
práctica y experiencia, pero una vez hayas adquirido la
habilidad, podrás aventurarte incluso con las figuras
más complejas. Piensa en la emoción de revivir la
historia: vuela a los confines del tiempo y recrea un
mundo fascinante y cautivador: ¡te convertirás
en el protagonista de esta increíble
aventura!

BASE

1 Realiza un pliegue hacia arriba siguiendo la línea diagonal «AC». Dicho pliegue tendrá que verse en la línea diagonal «BD». Realiza dos pliegues cruzados hacia abajo por «ac» y «bd».

2 Dobla las puntas «A» y «B» por el pliegue «OB». Haz lo mismo en el lado opuesto con «c» y «d» sobre «OD».

3 Desdobla «a» y «b», así como «c» y «d».

4 Deja que se vea el pliegue bajo la punta «O». Levanta la punta «B».

5 Dobla «a» y «b». Haz lo mismo en el lado opuesto con la punta «D» y los lados «c» y «d».

6 La base estará lista.

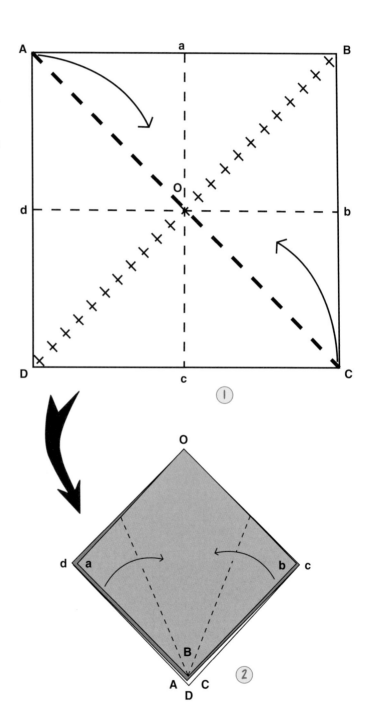

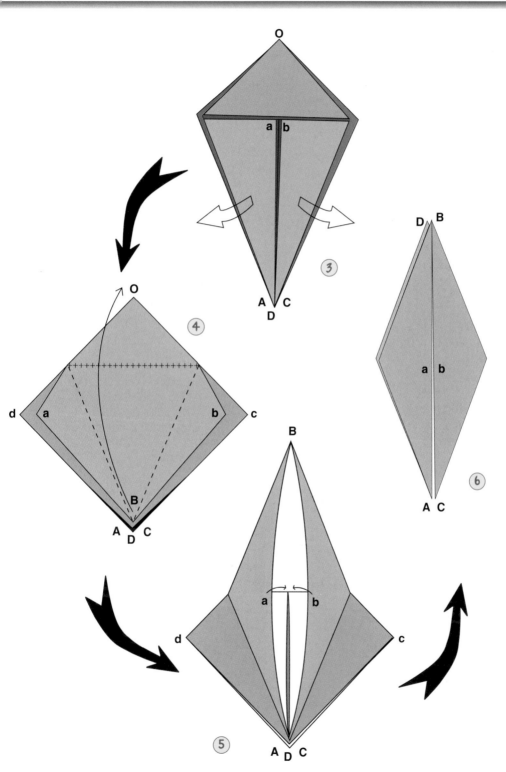

PTERODÁCTILO

El pterodáctilo fue un pequeño
reptil volador que vivió hace
unos 150 millones de años en
los islotes boscosos de
los mares poco
profundos de la
Europa septentrional,
en el Jurásico superior. Sus alas
podían extenderse de 20 a 30
centímetros y se nutría
básicamente de insectos.

❶ Dobla una
hoja cuadrada
en dos partes
siguiendo una
de las líneas
diagonales.

❷ Dobla la
punta «C»
realizando un
pliegue hacia
abajo, paralelo
al pliegue
«BD», tal como
especifica la
ilustración 3.

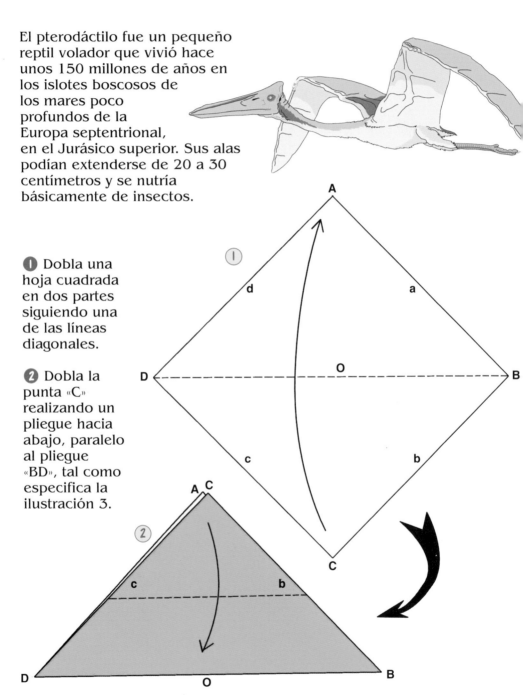

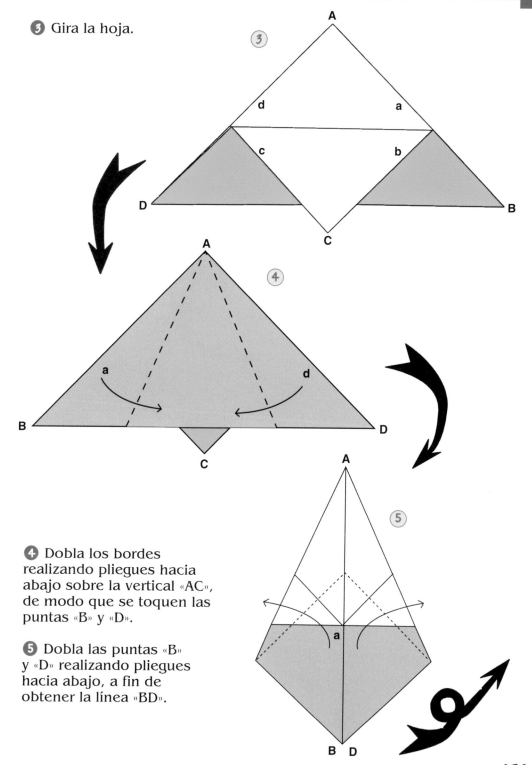

3 Gira la hoja.

4 Dobla los bordes realizando pliegues hacia abajo sobre la vertical «AC», de modo que se toquen las puntas «B» y «D».

5 Dobla las puntas «B» y «D» realizando pliegues hacia abajo, a fin de obtener la línea «BD».

6 Realiza un pliegue hacia arriba doblando la hoja por la línea «AC»; a continuación, da un giro de 90° a la hoja en sentido contrario a las agujas del reloj.

7 Dobla la punta «A» hacia arriba y luego hacia delante con pliegues hacia arriba y por dentro.

8 Realiza dos pliegues hacia abajo de «d» a «D» y de «a» a «B».

9 Desdobla la hoja y aplástala ligeramente.

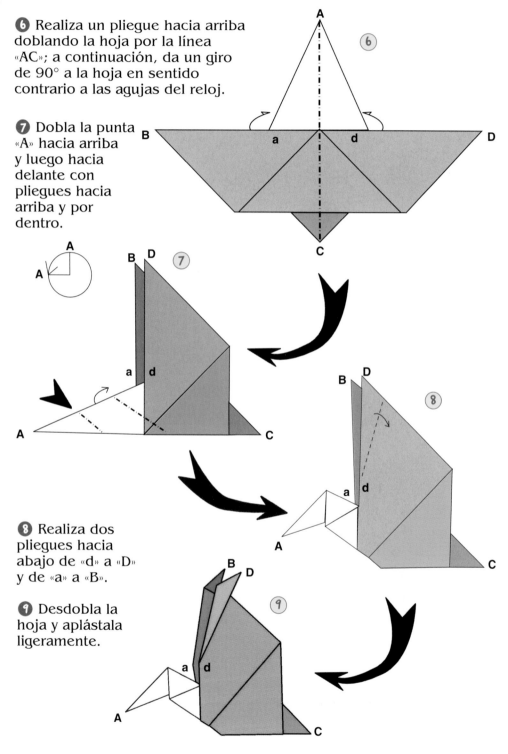

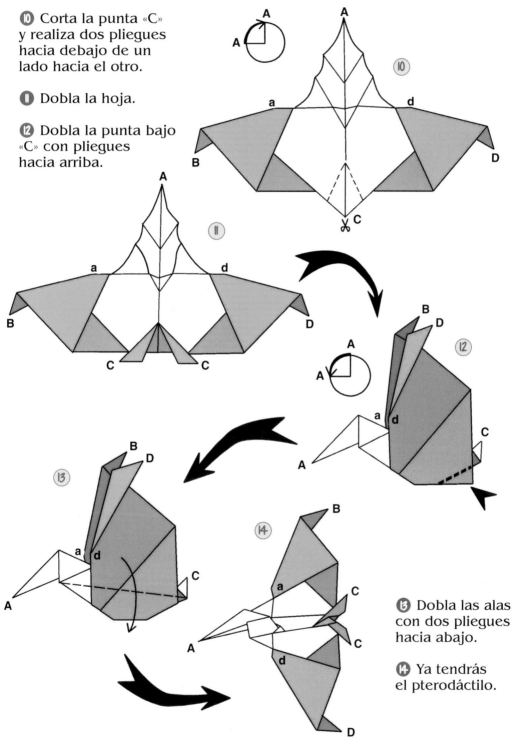

⑩ Corta la punta «C» y realiza dos pliegues hacia debajo de un lado hacia el otro.

⑪ Dobla la hoja.

⑫ Dobla la punta bajo «C» con pliegues hacia arriba.

⑬ Dobla las alas con dos pliegues hacia abajo.

⑭ Ya tendrás el pterodáctilo.

155

DYATRIMA

Este animal era muy temido, medía
2 metros y corría por las llanuras al inicio
del Terciario, hace aproximadamente
50 millones de años. Se cree que este
pájaro gigante, cuyos fósiles se han encontrado
en América del Norte, era carnívoro.

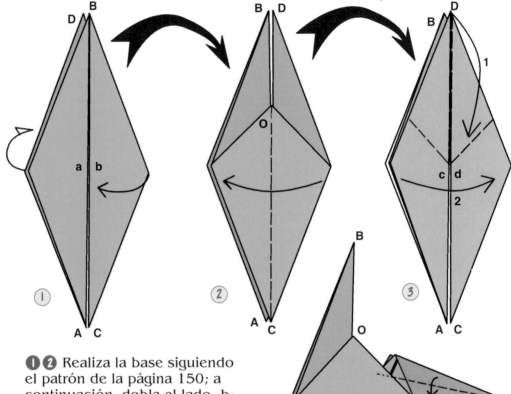

① ② Realiza la base siguiendo
el patrón de la página 150; a
continuación, dobla el lado «b»
sobre el «a» y, en el lado opuesto,
el lado «c» sobre el «b».

③ 1. Realiza un pliegue hacia fuera
en «c-d» y baja la punta «D» hasta la
perpendicular de «Bc».
2. Lleva el lado «c» hacia el «b».

④ Haz lo mismo en el lado opuesto.
Dobla la punta D con un pliegue hacia
abajo y haz lo mismo con la punta B.

5 Haz un pliegue doble por «OC» y da un giro de 90° a la hoja según el sentido de las agujas del reloj.

6 Haz un pliegue hacia fuera juntando las puntas «A» y «C».

7 Dobla de nuevo la punta «O». Realiza un pliegue hacia fuera con la punta «A».

8 9 A partir de las puntas «C» y «A», realiza dos pliegues hacia fuera. Dobla las piernas siguiendo el orden numérico. Busca el punto de equilibrio con el pliegue 3, en el extremo de las piernas. El dyatrima se aguantará de pie.

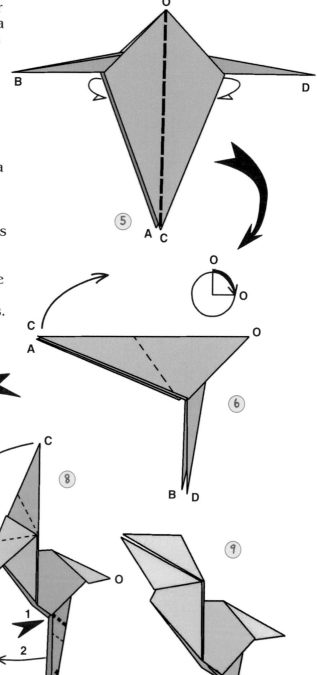

TIRANOSAURIO

El tiranosaurio fue un dinosaurio carnívoro enorme, que medía unos doce metros y cuyo peso se calcula que superaba las seis toneladas. Se descubrió en América del Norte, en las rocas del Cretácico superior, periodo de hace 70 millones de años. Tenía dientes de 20 centímetros y dos brazos pequeños para levantarse.

Parte delantera

1 Realiza pliegues doblados hacia dentro con las puntas «A» y «C», aproximadamente a un tercio de la longitud de «abAC».

2 Abre con un pliegue hacia abajo ambas puntas.

3 Dobla los cuatro lados con un pliegue hacia abajo.

4 Cierra ambas puntas.

5 Dobla en dos la figura por el centro y da un giro de 90° a la hoja en sentido contrario a las agujas del reloj.

6 Levanta al mismo tiempo las puntas «B» y «D» con un pliegue hacia fuera.

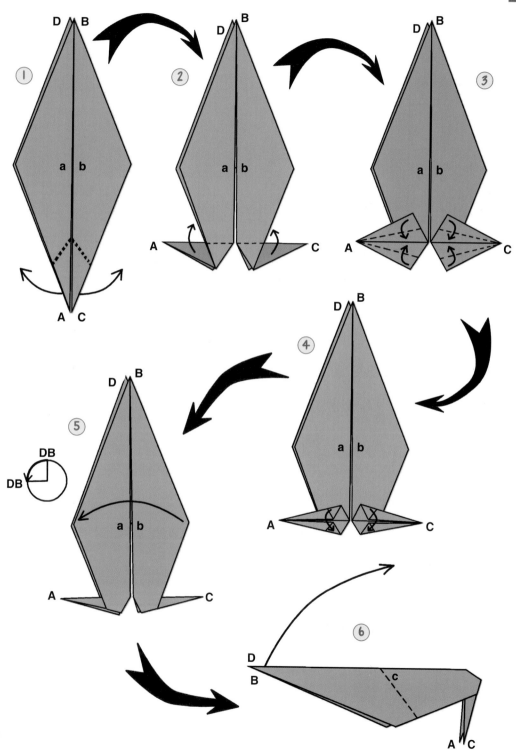

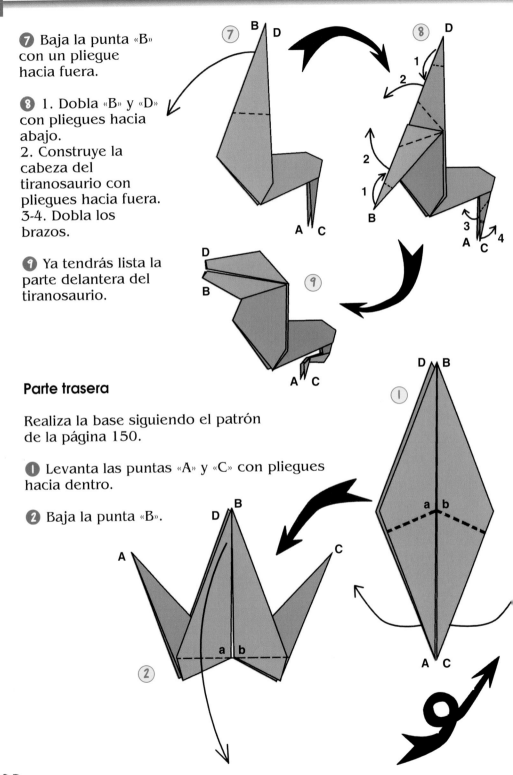

7 Baja la punta «B» con un pliegue hacia fuera.

8 1. Dobla «B» y «D» con pliegues hacia abajo.
2. Construye la cabeza del tiranosaurio con pliegues hacia fuera.
3-4. Dobla los brazos.

9 Ya tendrás lista la parte delantera del tiranosaurio.

Parte trasera

Realiza la base siguiendo el patrón de la página 150.

1 Levanta las puntas «A» y «C» con pliegues hacia dentro.

2 Baja la punta «B».

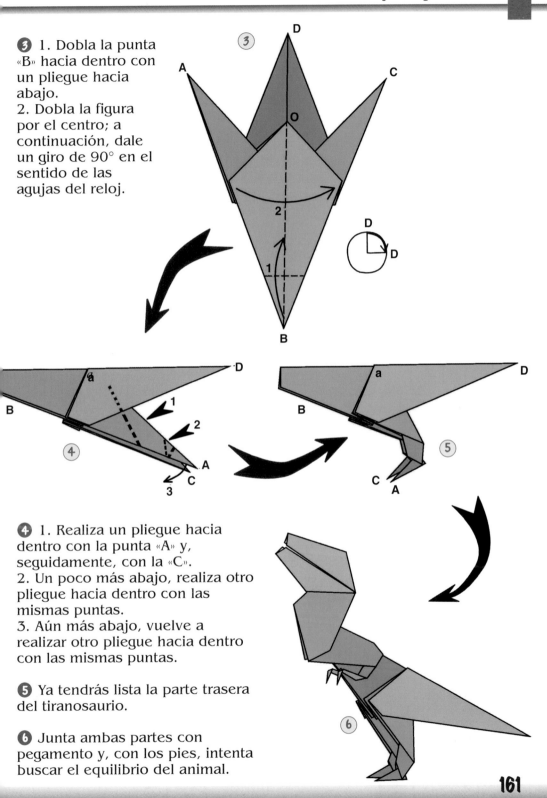

❸ 1. Dobla la punta «B» hacia dentro con un pliegue hacia abajo.

2. Dobla la figura por el centro; a continuación, dale un giro de 90° en el sentido de las agujas del reloj.

❹ 1. Realiza un pliegue hacia dentro con la punta «A» y, seguidamente, con la «C».

2. Un poco más abajo, realiza otro pliegue hacia dentro con las mismas puntas.

3. Aún más abajo, vuelve a realizar otro pliegue hacia dentro con las mismas puntas.

❺ Ya tendrás lista la parte trasera del tiranosaurio.

❻ Junta ambas partes con pegamento y, con los pies, intenta buscar el equilibrio del animal.

161

CAMPTOSAURIO

Parte delantera

Realiza la base siguiendo el patrón de la página 150.

1 Realiza pliegues hacia dentro
con las puntas «A» y «C».

2 Dobla las puntas «A» y «C»
con pliegues hacia abajo.

3 Dobla los bordes de las líneas «A» y «C»
hacia abajo y repite el paso en el lado
opuesto.

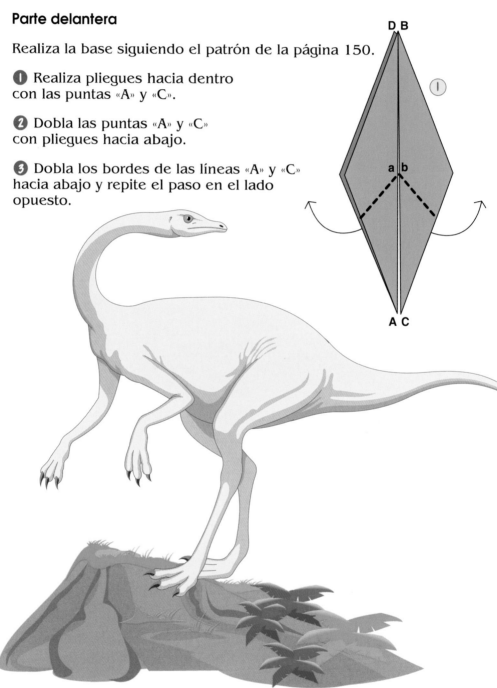

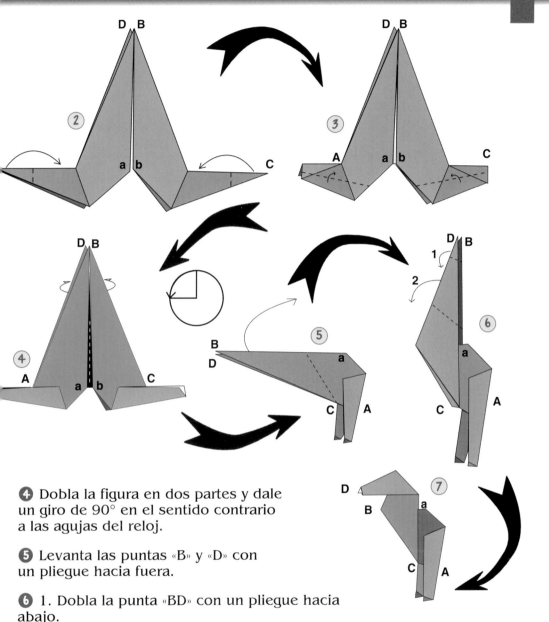

4 Dobla la figura en dos partes y dale un giro de 90° en el sentido contrario a las agujas del reloj.

5 Levanta las puntas «B» y «D» con un pliegue hacia fuera.

6 1. Dobla la punta «BD» con un pliegue hacia abajo.
2. Dobla la línea «BD» con un pliegue hacia fuera.

7 Ya tendrás la parte delantera del camptosaurio.

Los restos de este dinosaurio herbívoro se descubrieron en Europa occidental y América del Norte, en yacimientos de fósiles de finales del Jurásico y del inicio del Cretácico superior; es decir, hace 155 millones de años. El camptosaurio medía unos 7 metros.

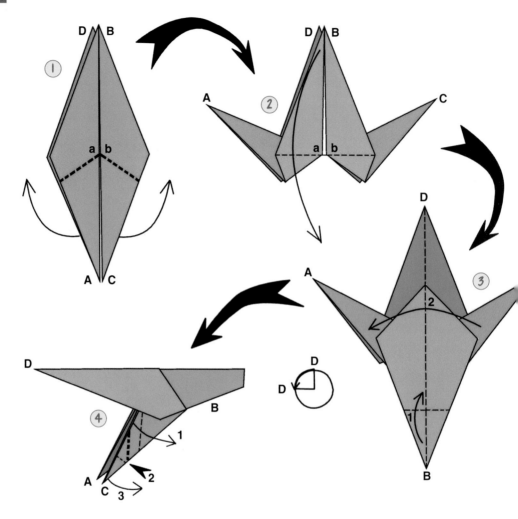

Parte trasera

Parte de la base de la página 150.

❶ Levanta las puntas «A» y «C» con pliegues hacia dentro.

❷ Baja el ala «B» con un pliegue hacia abajo.

❸ 1. Dobla la punta «B» hacia abajo.
2. Dobla la figura por el centro y dale un giro de 90°
en el sentido contrario a las agujas del reloj.

❹ 1-2-3. Realiza, siguiendo el orden, un pliegue hacia fuera, otro
hacia dentro y luego otro hacia fuera.

5 Ya tendrás lista la parte trasera del camptosaurio.

6 Pégala a la parte delantera y tendrás todo el animal.

PLATEOSAURIO

El plateosaurio fue un dinosaurio europeo que vivió en el Triásico superior. Medía aproximadamente 8 metros.

Se supone que fue un herbívoro muy común, ya que se ha encontrado una gran cantidad de esqueletos, sobre todo en Alemania y Francia.

Parte delantera

Realiza la base siguiendo el patrón de la página 150.

1 Levanta las líneas «A» y «C» con pliegues hacia dentro.

2 Baja el ala «B» con un pliegue hacia abajo.

3 Haz lo mismo con el triángulo «O».

4 Dobla ambos lados del ala «D» y esconde la punta «B» bajo el triángulo «O» mediante pliegues hacia abajo.

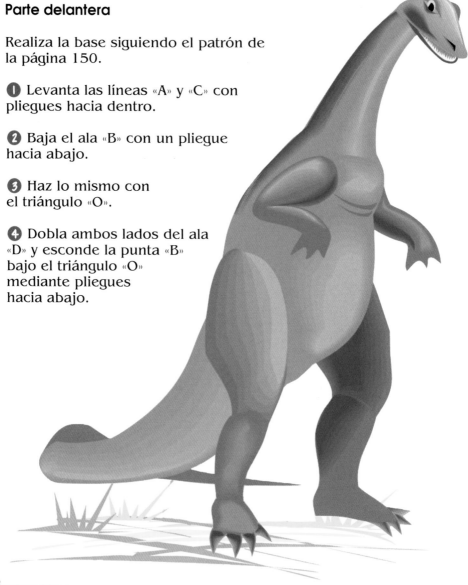

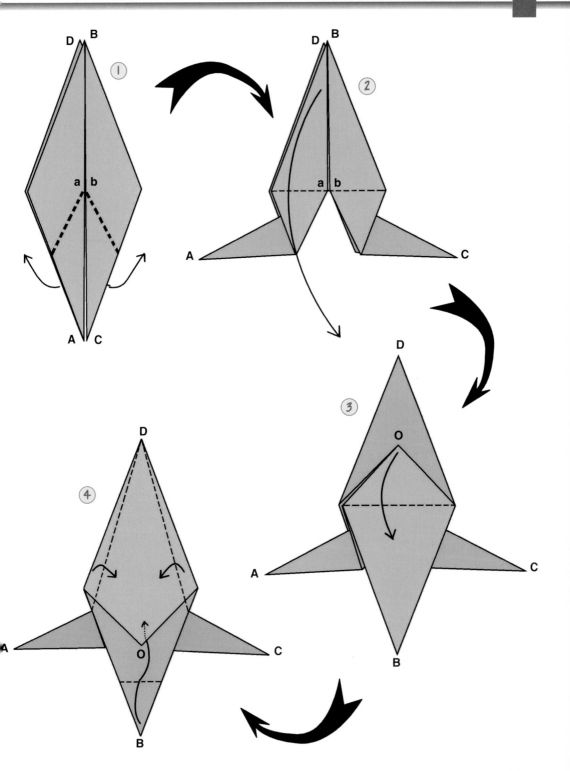

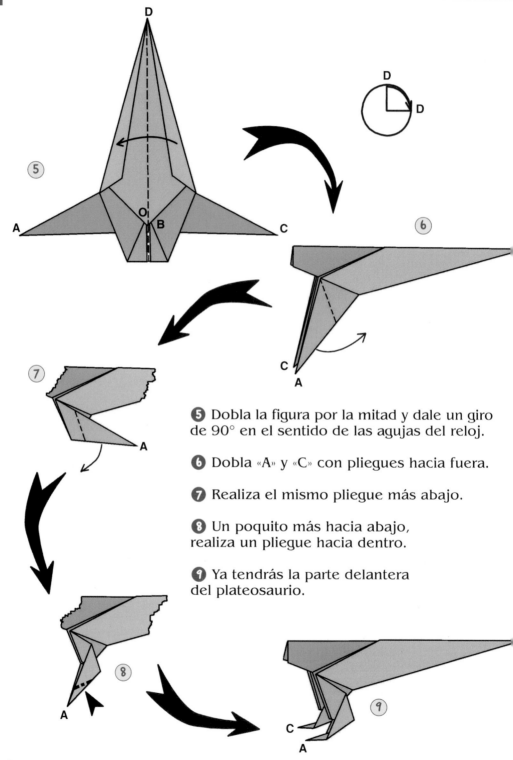

5 Dobla la figura por la mitad y dale un giro de 90° en el sentido de las agujas del reloj.

6 Dobla «A» y «C» con pliegues hacia fuera.

7 Realiza el mismo pliegue más abajo.

8 Un poquito más hacia abajo, realiza un pliegue hacia dentro.

9 Ya tendrás la parte delantera del plateosaurio.

Parte trasera

Empieza por el punto 2 del camptosaurio, en la página 162.

1 1. Dobla la punta «B» hacia atrás.

2. Dobla los lados de las líneas «A» y «C» hacia delante.

3 Levanta estos lados.

4 Dobla los lados inferiores de las líneas «A» y «C» hacia delante.

5 Cierra ambas líneas.

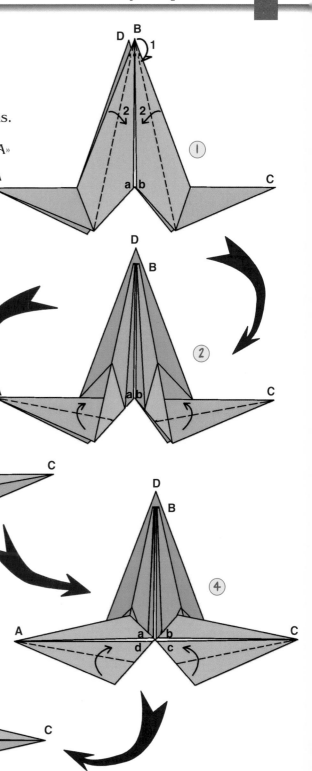

6 Gira la figura.

7 Dobla el ala «D» hacia abajo.

8 Dobla los lados de «O» hacia el centro.

9 Dobla la figura en dos y dale un giro de 90° en el sentido de las agujas del reloj.

10 1. Dobla las puntas «A» y «C» hacia dentro.
2-3. En las mismas puntas, realiza dos pliegues seguidos y hacia dentro.

11 Ya tendrás lista la parte trasera del plateosaurio.

12 Pégala a la parte delantera y obtendrás todo el animal.

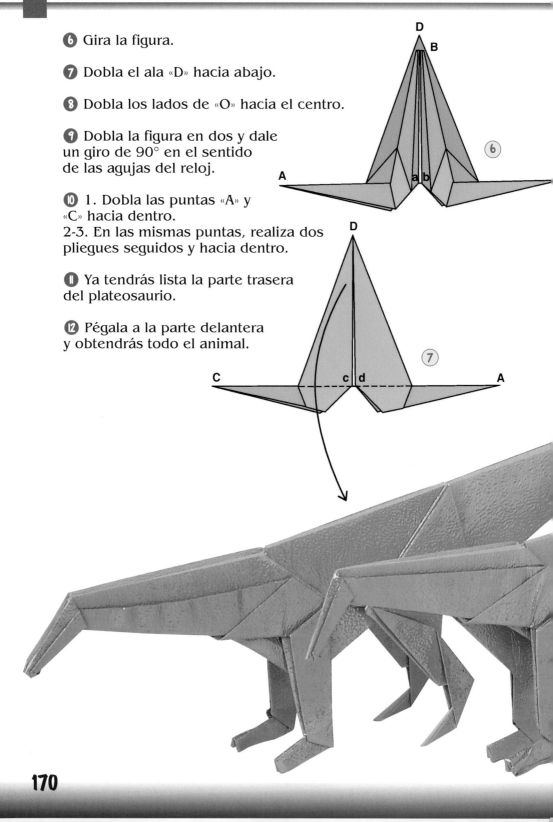

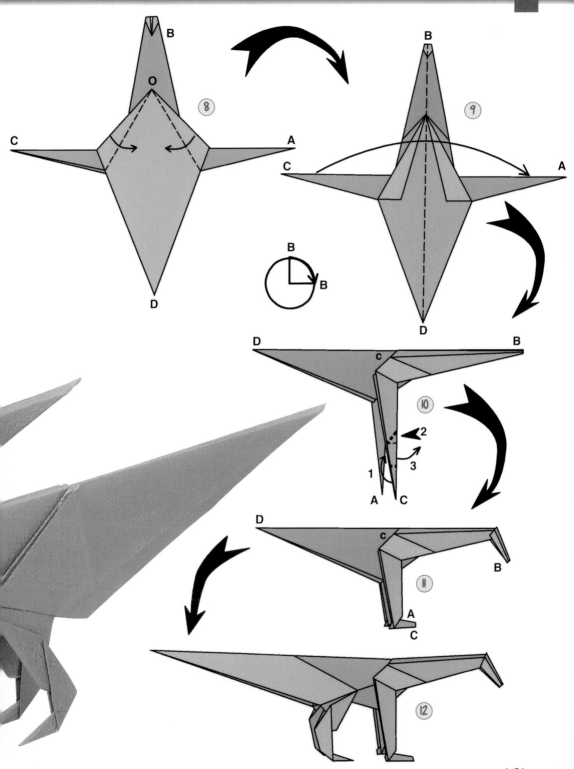

8

9

10

11

12

B
O
C · A
D

B
C · A
D

B
B

D · B
c
A C
1 2 3

D
c
B
A
C

PARASAUROLOPUS

Este dinosaurio, caracterizado por una divertida cresta, se descubrió en Canadá, en una zona que se remonta al Cretácico superior. Era herbívoro y podía llegar a medir nueve metros.

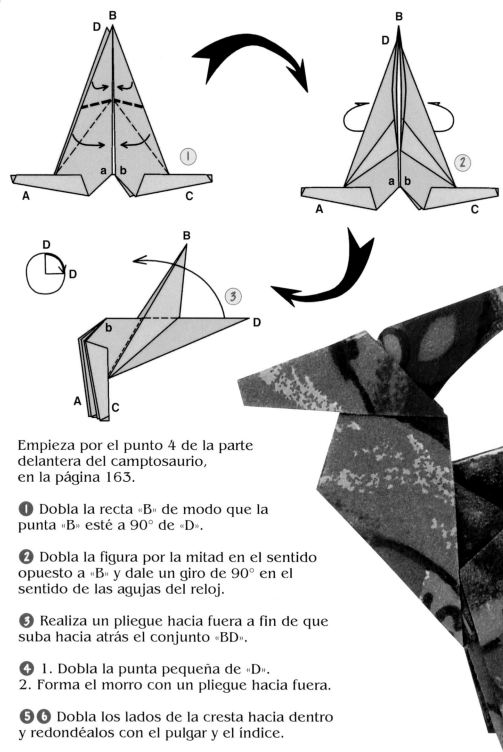

Empieza por el punto 4 de la parte
delantera del camptosaurio,
en la página 163.

❶ Dobla la recta «B» de modo que la
punta «B» esté a 90° de «D».

❷ Dobla la figura por la mitad en el sentido
opuesto a «B» y dale un giro de 90° en el
sentido de las agujas del reloj.

❸ Realiza un pliegue hacia fuera a fin de que
suba hacia atrás el conjunto «BD».

❹ 1. Dobla la punta pequeña de «D».
2. Forma el morro con un pliegue hacia fuera.

❺❻ Dobla los lados de la cresta hacia dentro
y redondéalos con el pulgar y el índice.

7 Pega la parte trasera
del camptosaurio
de la página 164.

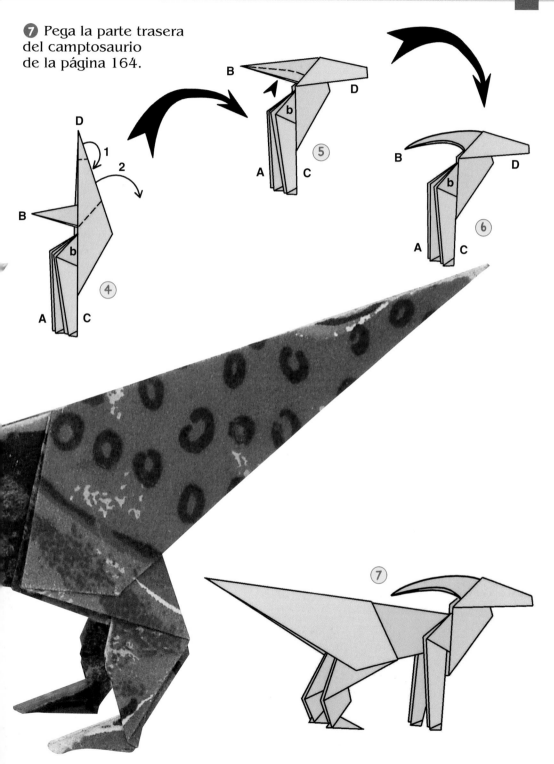

CORITOSAURIO
LAMBEOSAURIO

Estos fueron dos dinosaurios herbívoros que vivieron al final del Cretácico. El coritosaurio medía diez metros de largo y tenía una cresta redonda. El lambeosaurio podría medir hasta quince metros y tenía una cresta parecida a un hacha.

Empieza por el punto 5 del camptosaurio, en la página 163.

❶ Levanta «B» y «D» al mismo tiempo.

❷ Dobla la punta «D» y realiza un pliegue hacia fuera a fin de formar la cabeza.

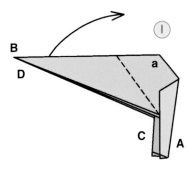

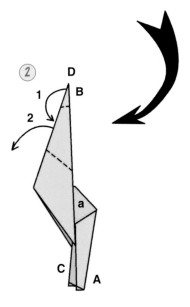

3 Dobla la punta «B» hacia dentro.

4 Coritosaurio: dobla los ángulos pequeños hacia dentro. Lambeosaurio: aprieta la punta «B» hacia abajo, luego sácala llevándola hacia atrás.

5 Ambos dinosaurios: ya tendrás las partes delanteras.

6 Ambos dinosaurios: pega las partes delanteras a las traseras (camptosaurio, página 164) y obtendrás los animales completos.

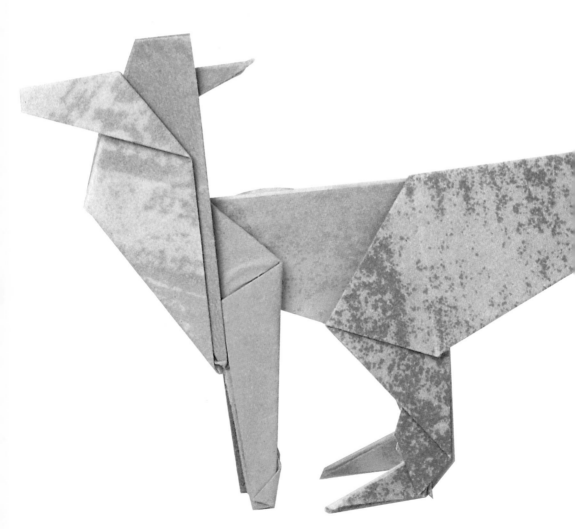

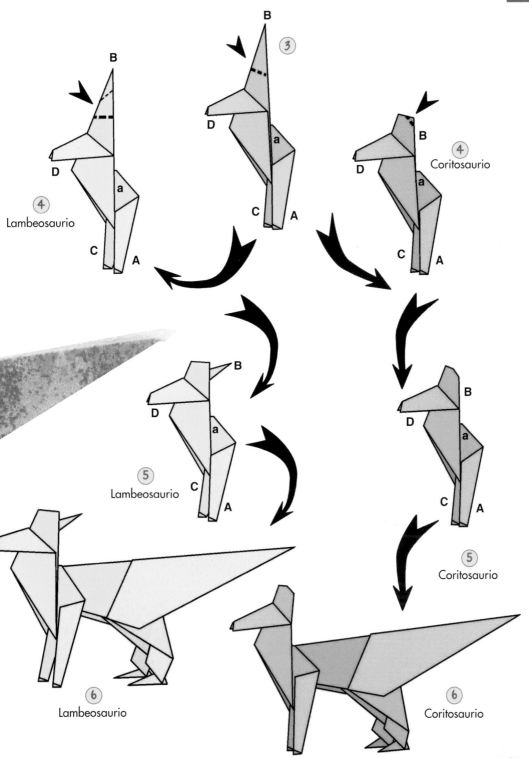

B

③

B

④
Coritosaurio

B

④
Lambeosaurio

D

a

C   A

D

a

C   A

D

a

C   A

B

⑤
Lambeosaurio

D

a

C

A

B

D

a

C   A

⑤
Coritosaurio

⑥
Lambeosaurio

⑥
Coritosaurio

179

TRICERATOPS

Este dinosaurio era herbívoro, medía nueve metros y vivió en las llanuras de América del Norte a finales del Cretácico. Para confeccionar el triceratops, necesitarás tres hojas cuadradas. Las dos hojas para el cráneo y la parte delantera serán más pequeñas que la hoja para la parte trasera.

Cráneo

Realiza la base siguiendo el patrón de la página 150.

1 Abre la figura y extiende de nuevo el cuadrado.

2 Dobla el cuadrado en el centro hacia abajo por la línea diagonal «DB» (casi todos los pliegues estarán marcados, si bien no necesariamente en el mismo sentido).

3 Dobla la punta «C» hacia abajo por la línea.

4 Dobla los lados de «C» hacia dentro y los lados de «D» y «B» hacia abajo, siguiendo los pliegues marcados (efectúa ambas operaciones a la vez).

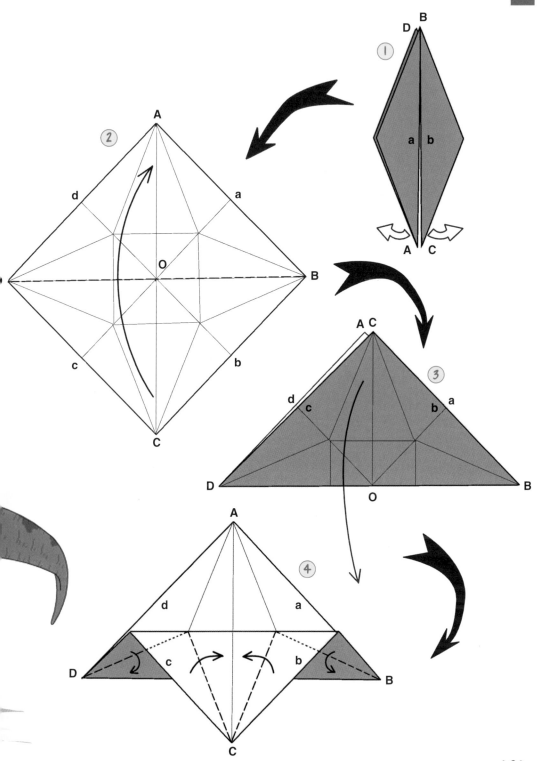

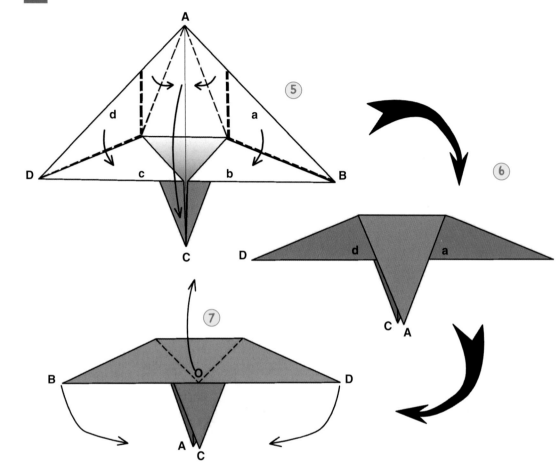

⑤ Dobla la punta «A» hacia abajo, doblando los lados hacia dentro.

⑥ Gira la figura.

⑦ Baja «B» y «D» levantando «O».

⑧ Levanta «B» y «D» cruzándolas.

⑨ Dobla en dos la figura y dale un giro de 90° contrario al sentido de las agujas del reloj.

⑩ Dobla hacia abajo la base de las puntas «B» y «D», para que luego puedas levantarlas.

⑪ Dobla las puntas por la mitad en sentido vertical. Levanta la punta «C».

⑫ Dobla las alas que queden de las puntas. Dobla el pico «A» hacia abajo

⑬ Ya tendrás el cráneo.

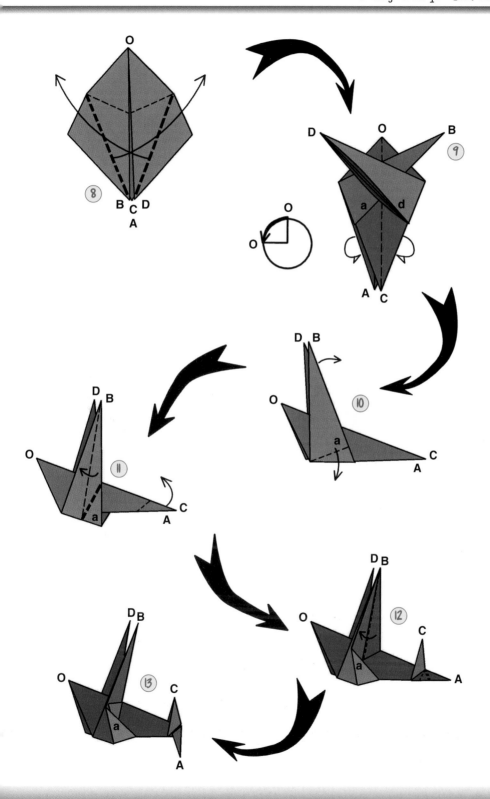

Parte delantera

Empieza por el punto 2 del camptosaurio, en la página 162.

① Baja la solapa «B».

② Dobla la solapa «B» por la mitad abriendo «C».

③ Dobla el lado correspondiente a «D» hacia dentro, sin alcanzar la punta.

④ Abre «B» y lleva a «C» a su posición inicial, manteniendo el pliegue precedente.

⑤⑥⑦ Haz lo mismo en el lado opuesto.

⑧ Dobla los ángulos sin letras del cuadrilátero «OB» hacia dentro.

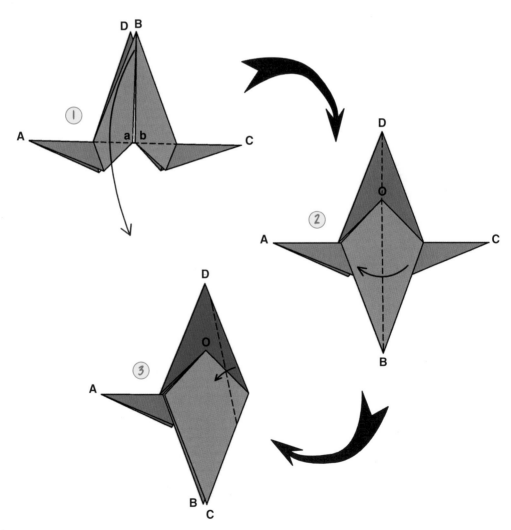

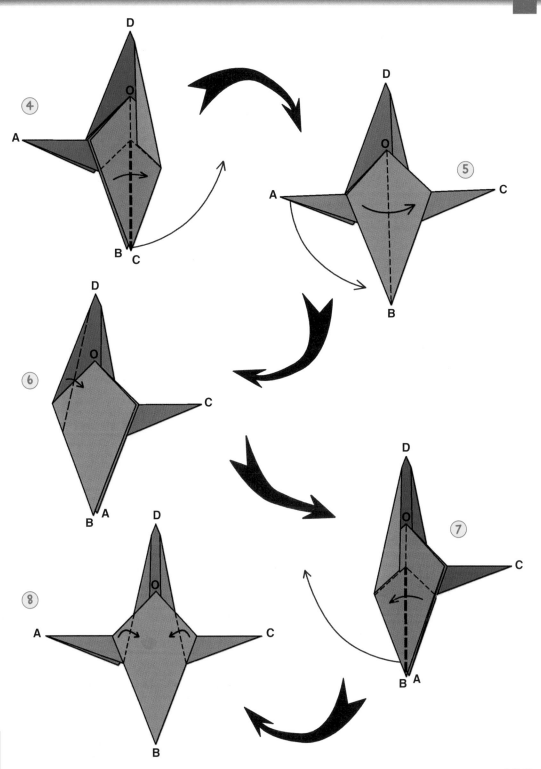

9 Dobla la figura en dos y dale un giro de 90° en el sentido de las agujas del reloj.

10 Aprieta la solapa «B» levantándola (marca los pliegues).

11 Gira la solapa «B» y llévala hacia delante mediante un pliegue hacia fuera.

12 Baja la punta «B» y, a continuación:
1. Dobla la punta «D» por «Dd».
2. Realiza un pliegue hacia fuera.
3. Siguiendo los números, realiza tres pliegues hacia dentro en las puntas «C» y «A», a fin de formar los codos y las manos.

13 Ya tendrás la parte delantera del triceratops.

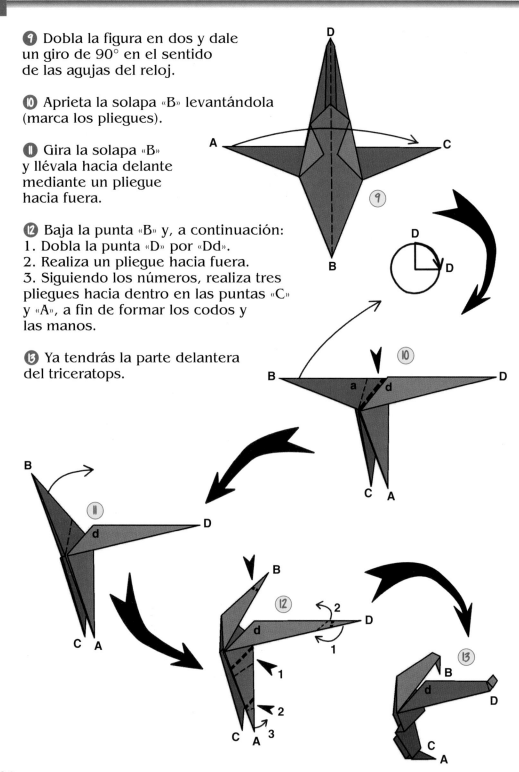

Parte posterior

Empieza por el punto 2 del camptosaurio, en la página 162.

1 Corta los pliegues de la base de la solapa «B», de «a» y «b». Desdobla la hoja.

2 Gira la figura.

3 Baja el ala «D».

4 Dobla hacia dentro los ángulos «B», «b» y «a».

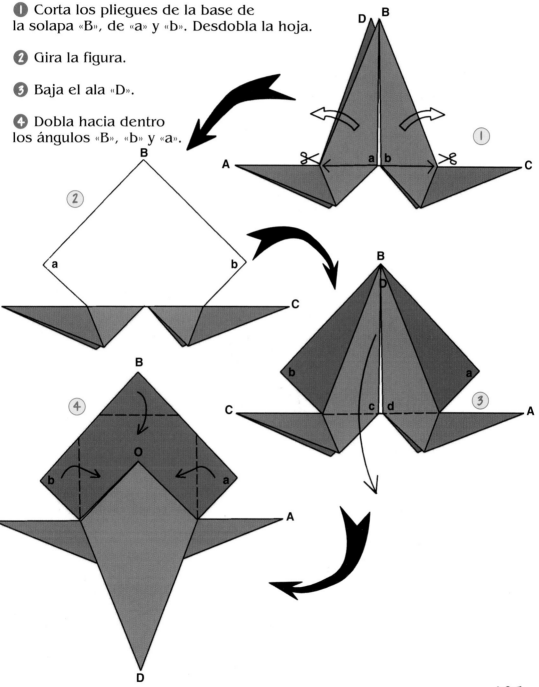

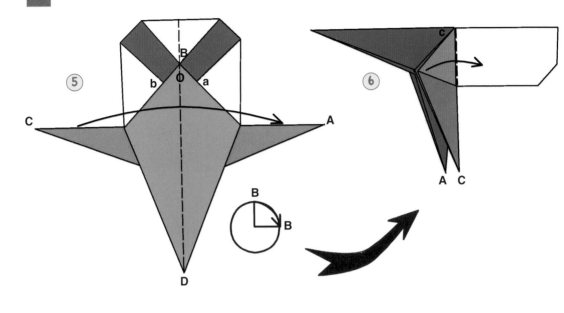

5 Dobla la figura en dos y dale un giro de 90° en el sentido de las agujas del reloj.

6 Dobla hacia delante «A» y «C».

7 Aprieta la solapa «D» con un pliegue y desdobla por la base a fin de formar la cola. Dobla las piernas según el diseño.

8 Ya tendrás la parte delantera.

9 Pega el cráneo con la parte delantera, a continuación une la parte trasera y ya tendrás todo el triceratops.

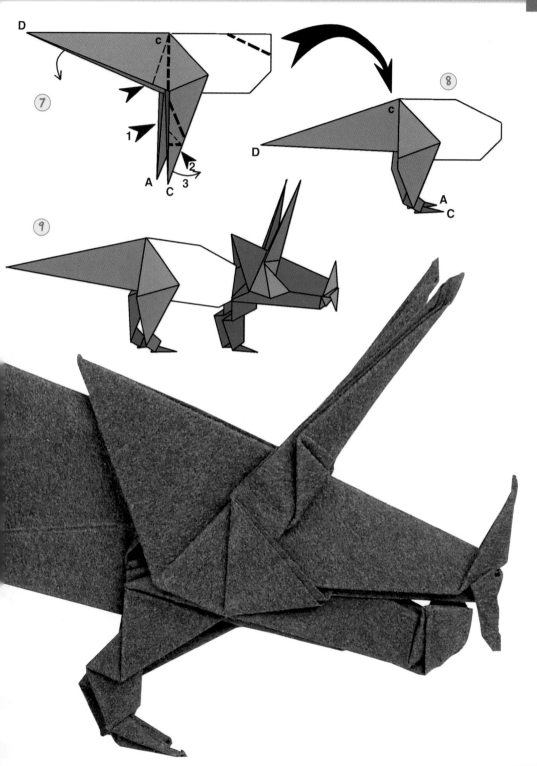

PTERANODON

Este dinosaurio era enorme y no tenía dientes; sus restos se encontraron en Estados Unidos y Japón. Vivió al final de Cretácico y podía extender las alas hasta 8 metros.
Su alimento principal eran los peces.

Alas

① Dobla la hoja cuadrada por la mitad siguiendo la línea diagonal «DB».

② Dobla la puntita «A» hacia dentro.

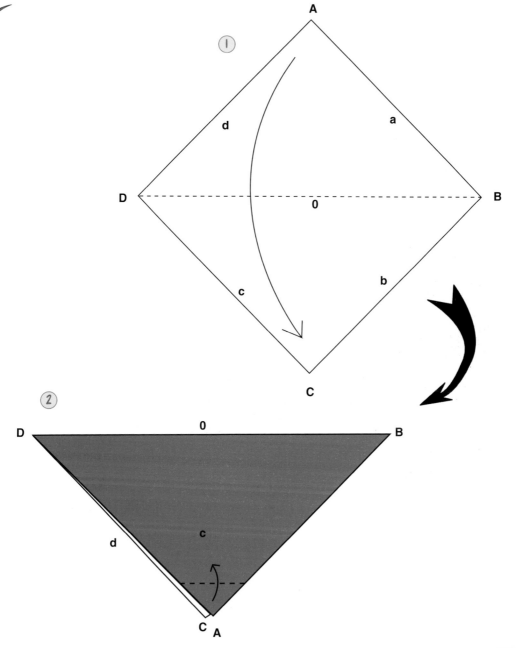

❸ Dobla «A» siguiendo la línea «ac», de modo que el pliegue anterior quede ajustado al pliegue en diagonal.

❹ Dobla los lados «CB» y «CD» hacia dentro.

❺ Dobla las puntas «B» y «D» hacia fuera.

❻ Dobla la punta «C» hacia arriba.

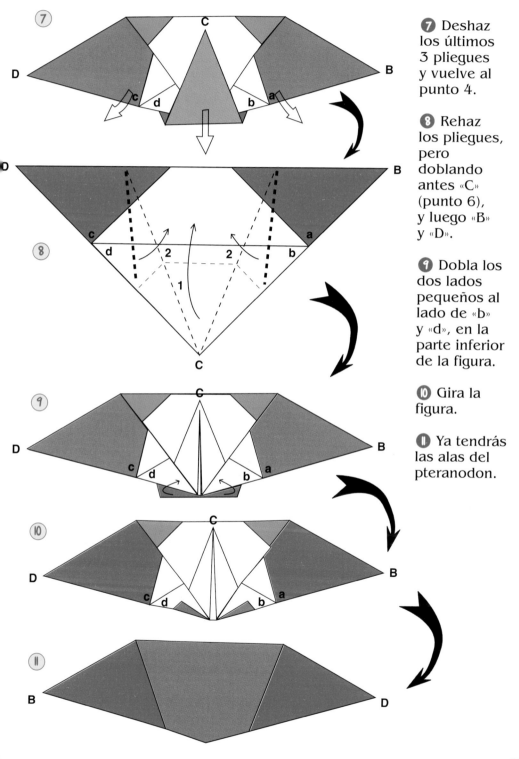

7 Deshaz los últimos 3 pliegues y vuelve al punto 4.

8 Rehaz los pliegues, pero doblando antes «C» (punto 6), y luego «B» y «D».

9 Dobla los dos lados pequeños al lado de «b» y «d», en la parte inferior de la figura.

10 Gira la figura.

11 Ya tendrás las alas del pteranodon.

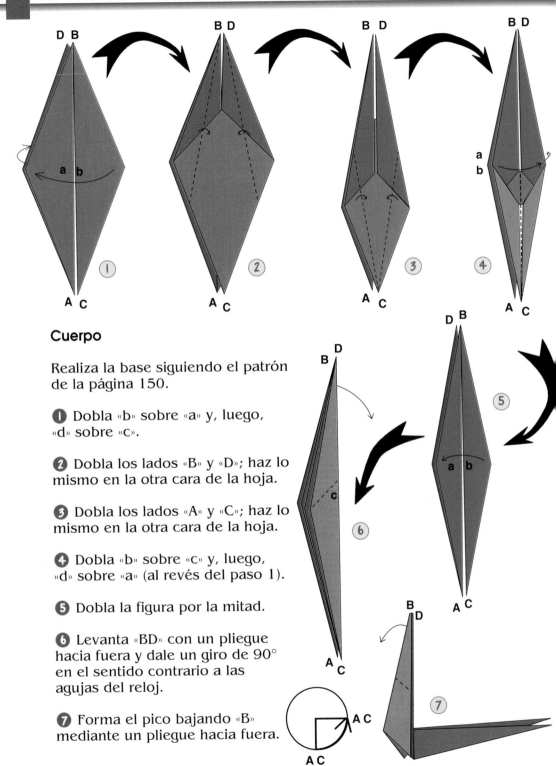

Cuerpo

Realiza la base siguiendo el patrón de la página 150.

1 Dobla «b» sobre «a» y, luego, «d» sobre «c».

2 Dobla los lados «B» y «D»; haz lo mismo en la otra cara de la hoja.

3 Dobla los lados «A» y «C»; haz lo mismo en la otra cara de la hoja.

4 Dobla «b» sobre «c» y, luego, «d» sobre «a» (al revés del paso 1).

5 Dobla la figura por la mitad.

6 Levanta «BD» con un pliegue hacia fuera y dale un giro de 90° en el sentido contrario a las agujas del reloj.

7 Forma el pico bajando «B» mediante un pliegue hacia fuera.

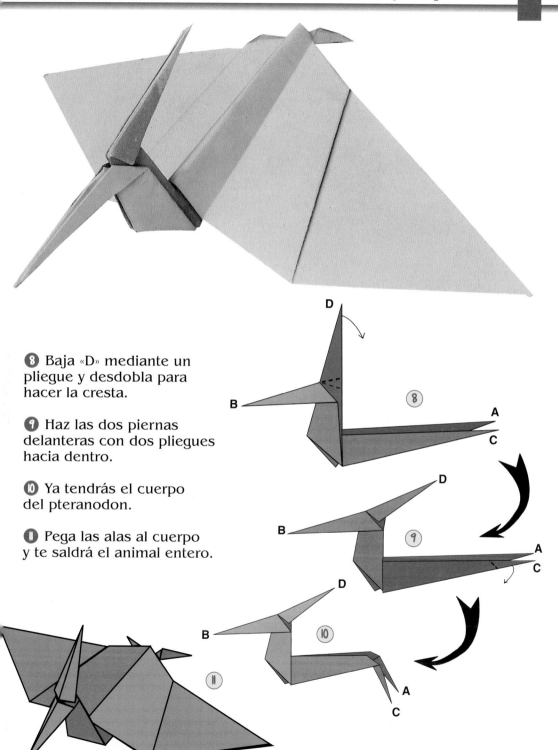

8 Baja «D» mediante un pliegue y desdobla para hacer la cresta.

9 Haz las dos piernas delanteras con dos pliegues hacia dentro.

10 Ya tendrás el cuerpo del pteranodon.

11 Pega las alas al cuerpo y te saldrá el animal entero.

PLESIOSAURIO

El plesiosaurio fue un reptil marino del Jurásico inferior, cuyos restos se hallaron en Inglaterra y Alemania. Era un ávido devorador de peces y medía aproximadamente 2,30 metros.

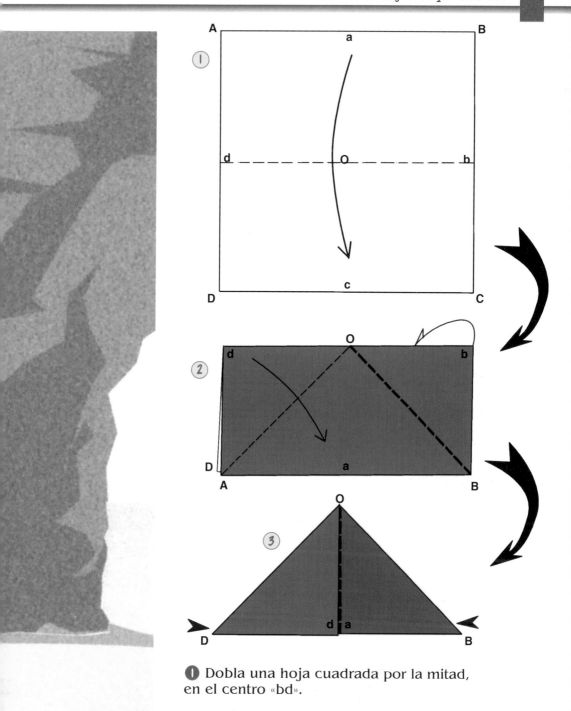

① Dobla una hoja cuadrada por la mitad, en el centro «bd».

② Dobla «d» hacia delante y «b» hacia atrás.

③ Separa «bc» de «ad»; acerca «AD» a «BC».

197

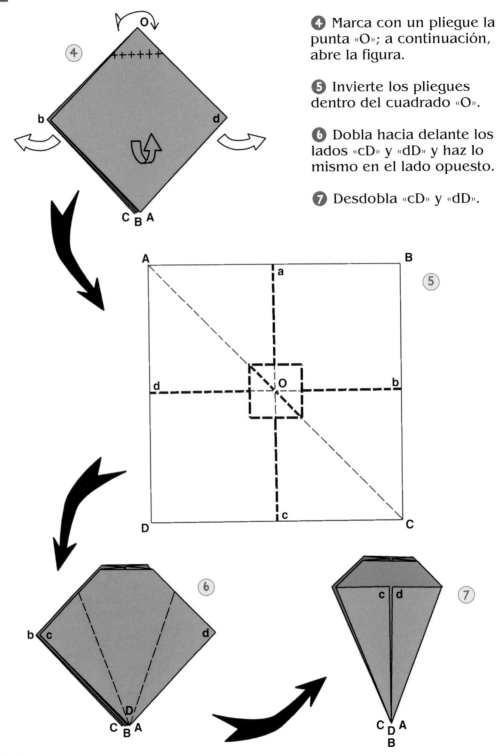

4 Marca con un pliegue la punta «O»; a continuación, abre la figura.

5 Invierte los pliegues dentro del cuadrado «O».

6 Dobla hacia delante los lados «cD» y «dD» y haz lo mismo en el lado opuesto.

7 Desdobla «cD» y «dD».

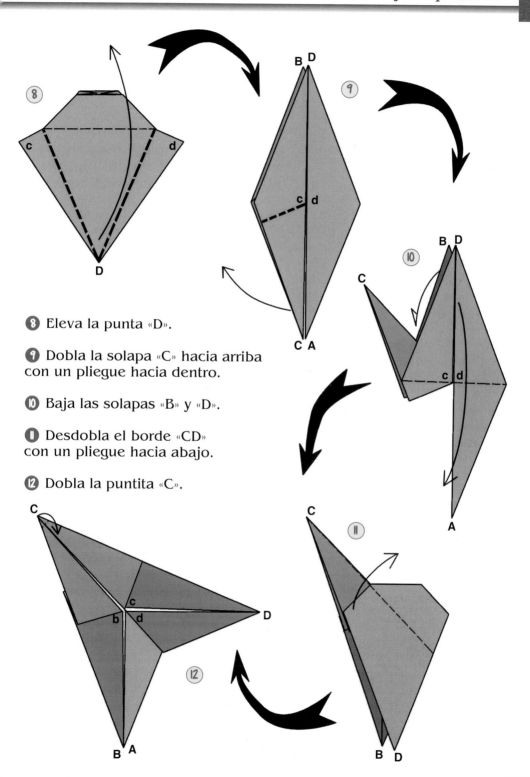

8 Eleva la punta «D».

9 Dobla la solapa «C» hacia arriba con un pliegue hacia dentro.

10 Baja las solapas «B» y «D».

11 Desdobla el borde «CD» con un pliegue hacia abajo.

12 Dobla la puntita «C».

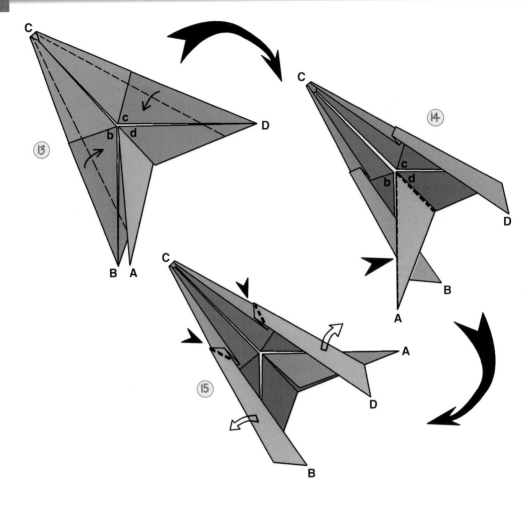

⓭ Dobla los lados «CD» y «CB» hacia dentro, sobre la puntita «C».

⓮ Invierte el pliegue de la solapa «A».

⓯ Desdobla las mitades inferiores de «CB» y «CD» con un pliegue que siga los puntos (hacia arriba).

⓰ Dobla la figura por la mitad.

⓱ Corta las solapas «B» y «D» por la mitad.

⓲ Realiza un pliegue hacia fuera en las partes traseras de «B» y «D».

⓳ Desdobla la parte delantera de la figura.

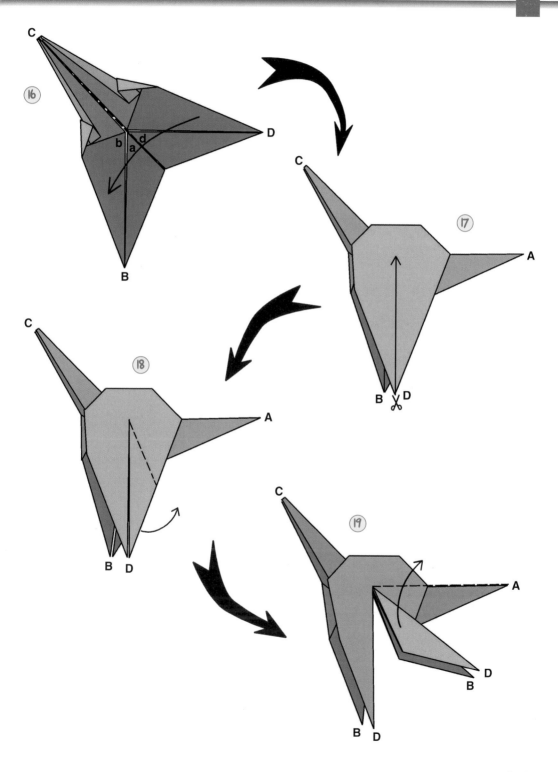

16

C

b a d

D

B

17

C

A

B D

18

C

A

B D

19

C

A

D

B

B D

201

20 Realiza un pliegue
y desdóblalo con
la solapa «A».

21 Dobla los lados del
pliegue hacia dentro
y desdobla.

22 Sitúa «D» sobre «B».
Dobla «C» a fin de formar la
cabeza del dinosaurio.

23 Ya tendrás listo
el plesiosaurio.

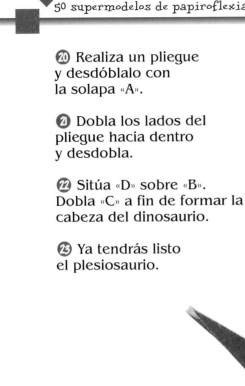

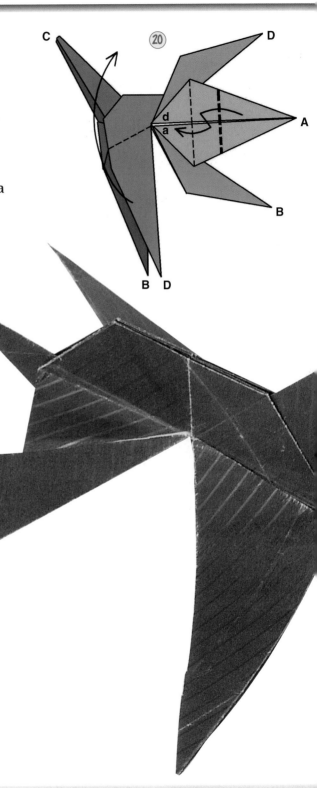

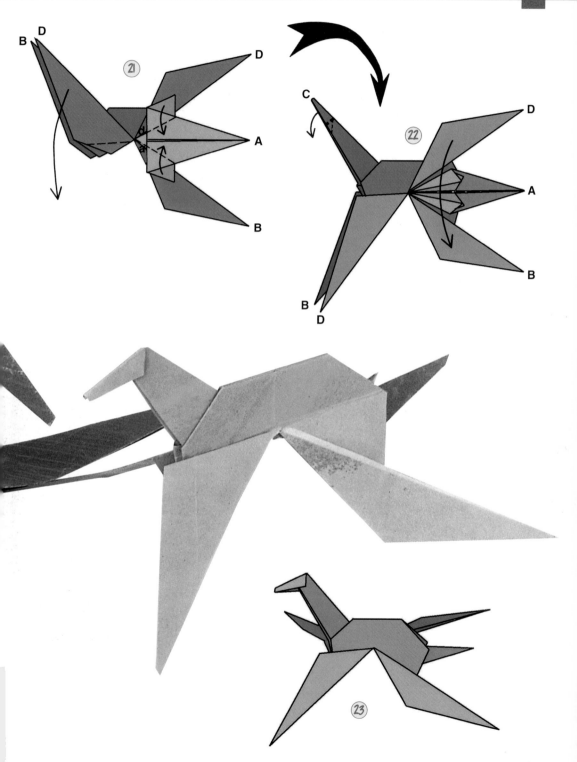

Índice

ANIMALES ACUÁTICOS Y TERRESTRES

UN VIAJE A LA PREHISTORIA

Impreso en España por
EGEDSA
Rois de Corella, 12-16
08205 Sabadell